주역절중
周易折中
11

이 책은 (재)한국연구재단의 지원으로 학고방출판사에서 출간, 유통합니다.

한국연구재단 학술명저번역총서 동양편 *620*

주역절중
周易折中

11

說卦傳

序卦傳 · 雜卦傳

序卦 · 雜卦明義

편찬

이광지
李光地

책임역주
신창호

공동역주
김학목 · 심의용 · 윤원현

學古房

　『주역』은 '변화(變化)의 성경(聖經)'이라 불린다. 그만큼 자연 질서와 인간 사회 법칙을 변화의 원칙에 따라 변주하며, 성스럽게 우주적 삶의 기준을 구가한다. 그러나 '이현령비현령(耳懸鈴鼻懸鈴)'이라는 말이 붙을 정도로 다양하고 복합적인 해석의 차원이 개입하면서,『주역』은 축적된 역사 이상으로 심오하고 의미심장한 세계를 형성한다. 그것이『주역』의 특성이자 묘미일 수 있다.

　본 번역 연구서『어찬주역절중(御纂周易折中)』은 강희제(康熙帝)가 이광지(李光地, 1642~1718)에게 총괄책임의 칙명을 내려 1713~1715년에 걸쳐 완성한『주역』해설서이다. 전체 22권의 석판본(石版本)이 내부각본(內府刻本)으로 현존한다.『주역절중』은『주역』이 경전으로 성립된 이후 한대(漢代)에서 명대(明代)까지의 다양한 견해를 핵심적으로 정돈한『주역』학술의 결정판이다. 주희의 견해를 기본으로 하여 경(經)과 전(傳)이 분리된『주역』고본(古本)의 체제를 회복하였다. 또한 주희의 주역관을 근거로 의리학(義理學)과 상수학(象數學)을 망라하는 다양한 학설을 폭넓게 해석하고, 의리에 국한되었던『주역전의대전(周易傳義大全)』의 결점을 보완하였다. 정주(程朱)의 뜻을 존숭하면서도 그와 다른 주장들을 절충하고 있는 저작이다.

　『주역절중』의 편찬자인 이광지는 중국 청대(淸代) 사람으로 복건성(福建省) 천주(泉州) 출신이다. 자(字)는 진경(晋卿)이고 호(號)는 후암(厚庵)이다. 1670년 진사(進士)에 급제하고 삼번(三藩)의 난을 평정함으로써 강희제의 두터운 신임을 받았고, 관직이 문연각대학사

겸이부상서(文淵閣大學士兼吏部尙書)에 이르렀다. 학문의 경지도 상당하여 경전에 두루 통달하였는데, 특히 『주역』에 정통하여 『주역통론(周易通論)』, 『주역관상(周易觀象)』, 『이문정역의(李文貞易義)』, 『역의전선(易義前選)』 등을 저술하였다. 당시 반주자학적(反朱子學的) 학풍을 대표하던 모기령(毛奇齡)과 달리 정주리학(程朱理學)의 학풍을 충실히 계승하였다.

『주역절중』의 체계와 내용을 보면, 경과 전을 분리하여 편찬하고, 64괘의 괘사와 효사, 「단전」, 「상전」, 「계사전」, 「문언전」, 「설괘전」, 「서괘전」, 「잡괘전」의 순서로 『주역』 전문을 서술하였다. 그리고 『역학계몽』, 「계몽부록(啓蒙附錄)」, 「서괘잡괘명의(序卦雜卦明義)」를 첨부하였다. 주희의 『주역본의(周易本義)』, 정이(程頤)의 『역정전(易程傳)』, 한대부터 명대까지 역학에 조예가 깊은 학자 218명의 「집설(集說)」, 편찬자의 「안(案)」, 이를 종합한 「총론(總論)」이 실려 있다. 그런 만큼 『주역절중』은 『주역』 관련 학술 연구에서 의미가 크다.

본 번역 연구는 내부각본을 저본으로 하고 문연각(文淵閣) 『사고전서(四庫全書)』본을 대교본으로 하였으며 무구비재(無求備齋) 『역경집성(易經集成)』본을 참고하였다. 1715년에 이광지가 『어찬주역절중』을 완성했으므로, 『주역절중』이 만들어진지 이제 막 300년이 지났다. 이 긴 세월의 무게만큼 『주역』 연구도 질적으로 깊이를 더하고 양적으로 방대해졌다. 그런 와중에 300년 만인 21세기 초반에 『주역절중』이 한글로 번역·출간되어 무척이나 기쁘다. 『주역』을 비롯한 역학 연구자, 나아가 동양학을 연구하는 관련 학인들에게 조금이나마 보탬이 된다면 번역 연구자로서 더욱 보람을 느낄 것 같다.

본 번역 연구는 먼저, 『주역절중』의 본문을 완역하고, 원문 및 번역문을 온전하게 이해하기 위해 자세한 설명이 필요한 부분은 각주로 해설하였다. 아울러 『주역절중』에 등장하는 학자들의 「인명사전」을 별도로 작성하여 첨부하였다. 이런 연구 성과가 『주역절중』의 한문을 옮기는 수준을 훨씬 넘어서 있기에, 단순하게 『주역절중』 '번역'이라 하지 않고 '번역 연구'라고 자부해 본다.

본 번역 연구 작업은 2015년 5월~2017년 4월까지 2년여 동안 이루어졌다. 연구책임자를 맡은 신창호 교수를 비롯하여, 공동연구자인 윤원현 박사·김학목 박사·심의용 박사 등 우리 번역 연구진은 번역 연구기간 동안 수시로 만나 초교를 윤독하고 다양한 연구 자료를 교환하면서 『주역』의 학술 마당을 열었다. 한대부터 명대에 걸쳐 있는 『주역절중』의 특성상, 역학(易學) 사상의 방대함으로 인해 내용을 정확하게 이해하고 정돈하는데 애로 사항도 많았다. 하지만 전문 학자들의 자문과 번역 연구자 상호 간의 소통을 통해 문제점을 극복하려고 노력했다. 그러나 번역과 연구의 두 측면에서 여전히 아쉬운 부분이 많다. 대부분의 번역 연구가 장·단점을 지니고 있듯이, 본 번역 연구도 미비한 점이 있을 것이다. 특히, 제대로 연구가 이루어지지 않아 오류가 난 부분이 있다면, 사계의 권위 있는 학자들의 애정 어린 질정을 부탁한다.

본 번역 연구진 이외에 감사해야 할 분들이 있다. 먼저, 교정과 윤문 등 원고를 정돈하는 과정에서 수고해 준 고려대학교 대학원의 철학 및 교육철학 전공의 여러 제자들(김지은, 우버들, 위민성, 이유정, 임용덕, 장우재, 정순희, 한지윤 등)에게 고마운 마음을 전한다. 젊은 제자들은 그들의 시각에서 번역 연구 내용의 가독성과 표현 등 여러 부분을 꼼꼼하게 살피며 의미 있는 충고를 해 주었다.

또한 교육부와 한국연구재단에 감사를 드린다. 본 번역 연구는 2015년 한국연구재단의 '명저번역지원' 사업으로 2년 동안 지원을 받아 수행한 결과이다. 방대한 분량이기 때문에 한국연구재단의 지원이 없었다면, 실행하기 어려운 작업이었다. 마지막으로 어려운 사정에도 불구하고 편집과 출판을 맡아 책을 깔끔하게 정돈해 준 하운근 대표님을 비롯한 도서출판 학고방 가족들에게 감사의 말씀을 전한다.

어떤 저술이건 혼자만의 노력과 작업에 의해 이루어지는 성과는 존재하지 않는다. 마찬가지로 이『주역절중』의 번역 연구에도 많은 분들의 땀과 열정이 녹아들어 있다. 번역 연구에 직·간접으로 참여한 모든 분들과 이 책을 참고로 연구를 진행하는 여러 학인들도『주역』의 사유가 더욱 풍성해지기를 소망한다. 나아가 미래에 또 다른 공동 노력의 결실로, 본 번역 연구보다 세련된『주역절중』이 많이 저술되기를 기대해 본다.

2018. 6
번역 연구자를 대표하여
신창호 삼가 씀

1. 본 역서는 문연각(文淵閣)판본 『어찬주역절중(御纂周易折中)』 을 저본으로 한다.
2. 본 역서는 원문을 먼저 제시하고 번역문을 붙이는 대조본 형식 으로 한다.
3. 번역은 직역을 원칙으로 하되, 가독성을 높이기 위해 필요에 따 라 의역을 가미한다.
4. 『역』의 경문(經文) 번역은 편자 이광지(李光地)가 정이(程頤)의 『이천역전』보다 주희(朱熹)의 『주역본의』를 전면으로 내세운 의 도에 따라, 주희의 주장을 기준으로 한다.
5. 원문에는 최소한의 현대식 표점을 표기한다.
6. 인용한 선행 학설에 대해서는 가능한 출전을 밝히고, 요약문일 경우 필요에 따라 설명을 첨가한다.
7. 인용한 학설은 전체적으로 큰 따옴표(" ")로 묶고, 인용문 속의 인용문은 작은 따옴표(' '), 작은 꺾쇠(「 」) 순으로 한다.
8. 각주에서, 원문에 대한 각주는 원문을 먼저 제시하고(예 : 潛龍 勿用[잠긴 용은 쓰지 않는다]), 번역문에 대한 각주는 한글을 먼 저 제시한다(예 : 잠긴 용은 쓰지 않는다[潛龍勿用]).
9. 괘명(卦名)은 '곤(坤)괘'와 같은 형식으로 통일하되, 필요할 경우 '곤(坤䷁)괘', '곤(坤☷)괘'와 같이 괘상(卦象)을 병기한다.
10. 국한문 병기는 매 장과 매 괘의 첫 부분에서 표기하고, 나머지는 국문을 중심으로 하되, 각주에는 한문으로 처리한 것도 있다.

11. 번역문이 10줄을 초과할 경우, 가독성을 높이기 위해 가능한 단락을 구분한다.

12. 『역』과 관련된 전문적인 개념어는 주석에서 풀이하고, 번역문에는 해석하지 않고 드러내어 용어 통일을 기한다.

13. 제1권의 뒷부분에 『주역절중』에서 인용된 학자들의 약력을 정돈한 별도의 「인명사전」을 작성하여 첨부하였다.

14. 『주역절중』의 맨 마지막 부분인 22권 「서괘·잡괘명의(序卦·雜卦明義)」는 편의상 「서괘·잡괘전(序卦·雜卦傳)」 다음에 배치하였다.

설괘전說卦傳

서괘전 · 잡괘전序卦傳 · 雜卦傳

「서괘전」과「잡괘전」의 의미를 밝힘序卦·雜卦明義

說卦傳

설괘전

제17권

● 孔氏穎達曰 : "孔子以伏羲畫八卦, 後重爲六十四卦. 「繫辭」
中略明八卦小成, 引而伸之. 又曰, '八卦成列, 象在其中矣; 因
而重之, 爻在其中矣.' 又曰, '觀象於天, 觀法於地, 觀鳥獸之文,
與地之宜, 近取諸身, 遠取諸物, 始作八卦, 以通神明之德, 以類
萬物主情.' 然引而伸之, 重三成六之意, 猶自未明; 仰觀俯察,
近身遠物之象, 亦爲未見. 故於此更備說重卦之由, 及八卦所爲
之象, 謂之「說卦」焉."1)

공영달(孔穎達)이 말했다. "공자는 복희씨가 8괘를 그은 것을 가지
고 뒤에 그것을 중첩하여 64괘를 만들었다.「계사전」에서 8괘의 소
성(小成 : 작은 이룸)에 대해 간략히 설명하여 그것을 늘어서 펼쳤
다. 또 말하기를 '8괘가 열(列)을 이루니 상(象)이 그 가운데 있고,
그것을 따라서 거듭하니 효(爻)가 그 가운데 있다'라고 하였으며,
또 말하기를 '우러러 하늘의 상(象)을 관찰하고 굽어 땅의 법(法)을
관찰하며, 새와 짐승의 문양[文]과 토지의 마땅함을 관찰하며, 가까
이는 자신에게서 취하고 멀리는 물건에게서 취하여, 이에 비로소 8
괘를 만들어 신명(神明)의 덕을 통달하고 만물의 실정을 분류하였
다'라고 하였다. 그러나 늘어서 펼치고 삼효를 중첩하여 육효를 이
룬 뜻은 여전히 밝혀지지 않았고, 우러러 관찰하고 굽혀 관찰한 것
과 가까이는 자신에게서 취하고 멀리는 물건에게서 취한 상(象)도
역시 드러나지 못했다. 이 때문에 여기에서 다시 괘를 중첩한 이유
와 8괘가 표현하는 상(象)에 대해 자세히 설명하여,「설괘(說卦)」라
고 하였다."

---

1) 공영달 소(孔穎達 疏),『주역주소(周易註疏)』권13.

설괘 1

[설괘 1-1]

> 昔者聖人之作易也, 幽贊於神明而生蓍.
>
> 옛날에 성인이 역(易)을 지을 때 그윽이 신명(神明)을 도와 시초(蓍草)를 만들었다.

本義

幽贊神明, 猶言贊化育.「龜筴傳」曰 : "天下和平, 王道得, 而 蓍莖長丈, 其叢生滿百莖."

그윽이 신명(神明)을 돕는다는 것은 마치 화육(化育)을 돕는다는 말과 같다.『사기(史記)』「구책전(龜筴傳)」에서 "천하가 화평(和平) 하고 왕도(王道)가 시행되면 시초(蓍草) 줄기의 길이가 일장(一丈) 이 되고, 무더기로 백 개가 생겨난다."라고 하였다.

● 孔氏穎達曰 : "以此聖知, 深知神明之道, 而生用蓍求卦之法, 故曰‘幽贊於神明而生蓍.’"2)

공영달(孔穎達)이 말했다. "이 성인의 지혜로 신명의 도를 깊이 알아, 시초를 사용하여 괘를 구하는 방법을 만들어 냈기 때문에 ‘그윽이 신명(神明)을 도와 시초(蓍草)를 만들었다’라고 하였다."

● 程子曰 : "‘幽贊於神明而生蓍’, 用蓍以求卦, 非謂有蓍而後畫卦."3)

정자(程子 : 程顥·程頤)가 말했다. "‘그윽이 신명(神明)을 도와 시초(蓍草)를 만들었다’라고 한 것은 시초를 사용하여 괘를 구했다는 뜻이지, 시초가 있은 뒤에 괘를 그었다고 말하는 것이 아니다."

● 蘇氏軾曰 : "介紹以傳命謂之贊. 天地鬼神不能與人接也, 故以蓍龜爲之介紹."4)

소식(蘇軾)이 말했다. "소개하여 명령을 전달하는 것을 돕는다고 말한다. 천지와 귀신은 사람과 직접 접촉할 수 없기 때문에 시초와 거북으로 소개를 삼는다."

----

2) 공영달 소(孔穎達 疏), 『주역주소(周易註疏)』 권13.
3) 정호·정이, 『하남정씨외서(河南程氏外書)』 권2.
4) 소식(蘇軾), 『동파역전(東坡易傳)』 권1.

● 項氏安世曰 : "'生蓍', 謂創立用蓍之法. 神不能占. 以蓍言之, 所以贊神出命, 故謂之幽贊神明, 卽大衍所謂佑神也."5)

항안세(項安世)가 말했다. "'시초를 만들었다'는 것은 시초를 사용하는 방법을 창립했음을 말한다. 신(神)을 점칠 수는 없다. 이에 시초로 그것을 말하여 신을 도와 명령을 내었기 때문에 그윽이 신명을 돕는다고 말했으니, 바로 대연(大衍)의 이른바 신을 돕는다는 말이다."

● 龔氏煥曰 : "項氏'生蓍'之說, 與『本義』不同. 然以下文倚數·立卦·生爻觀之, 似當以項氏說爲正."6)

공환(龔煥)이 말했다. "항씨(項氏 : 項安世)의 '시초를 만들었다'라는 말에 대한 설명은 주자의 『주역본의』와 같지 않다. 그러나 아래 글의 수(數)에 의지하고 괘를 세우며 효를 만들어 낸다는 말로 살펴보면 마땅히 항씨의 주장이 옳다고 해야 할 것 같다."

● 蘇氏濬曰 : "'生蓍', 當以生爻之例推之."

소준(蘇濬)이 말했다. "'시초를 만들었다'라는 말은 마땅히 효를 만들어 내었다는 사례로 미루어보아야 할 것이다."

---

5) 항안세(項安世), 『주역완사(周易玩辭)』권15.
6) 웅량보(熊良輔), 『주역본의집성(周易本義集成)』권10에 공환(龔煥)의 말로 기록되어 있다.

參天兩地而倚數.

하늘의 수(數)는 세 배하는 것이고 땅의 수는 두 배하는 것이어서
수(數)에 의지한다.

本義

天圓地方. 圓者一而圍三, 三各一奇, 故參天而爲三. 方者一
而圍四, 四合二耦, 故兩地而爲二. 數皆倚此而起, 故揲蓍三
變之末, 其餘三奇則三三而九, 耦則三二而六, 兩二 · 一三則
爲七, 兩三 · 一二則爲八.

하늘은 둥글고 땅은 네모지다. 둥근 것은 지름이 1일 때 둘레가 3
이고, 3은 각각 하나의 홀[奇]이므로 하늘의 수는 세 배하여 3이 된
다. 네모진 것은 한 변이 1일 때 둘레가 4이고, 4는 두 개의 짝[偶]
을 합한 것이므로 땅의 수는 두 배하여 2가 된다. 수(數)는 모두 이
것에 의해 일어났기 때문에 시초(蓍草)를 세어 세 번 변한 뒤에 그
나머지가 세 번이 홀[奇]이면 3을 세 배하여 9이고, 세 번이 짝[偶]
이면 3을 두 배하여 6이며, 두 번이 짝[2]이고 한 번이 홀[3]이면 7이
고, 두 번이 홀[3]이고 한 번이 짝[2]이면 8이다.

集說

● 孔氏穎達曰 : "七 · 九爲奇, 天數也; 六 · 八爲耦, 地數也. 故取

奇於天, 取耦於地, 而立七·八·九·六之數也. 何以參兩爲目奇耦? 蓋古之奇耦, 亦以參兩言之. 且以兩是耦數之始, 三是奇數之初故也. 不以一目奇者, 張氏云, 以三中含兩, 有一以包兩之義, 明天有包地之德, 陽有包陰之道."[7]

공영달(孔穎達)이 말했다. "7·9는 홀이니 하늘의 수이고, 6·8은 짝이니 땅의 수이다. 그러므로 하늘에서 홀을 취하고 땅에서 짝을 취하여 7·8·9·6의 수를 세웠다. 무엇 때문에 세 배하고 두 배하는 것으로 홀과 짝을 지목하게 되었는가? 옛날의 홀과 짝도 또한 세 배, 두 배로 말했다. 또한 2는 짝수의 시작이고 3은 홀수의 처음이기 때문이다. 1로써 홀을 지목하지 않은 것에 대해, 장씨(張氏)는 3속에는 2를 포함하고 있어 하나로 둘을 감싸는 의미가 있으니, 하늘이 땅을 감싸고 있는 덕과 양(陽)이 음(陰)을 감싸고 있는 도(道)를 밝혔다고 말했다."

● 陸氏振奇曰: "'倚', 依也. '倚數'在生蓍之後, 立卦之前. 蓋用蓍得數, 而後布以爲卦, 故以·七·八·九·六當之."

육진기(陸振奇)가 말했다. "'倚(의 : 의지하다)'자는 의지하는 것이다. '수에 의지한다'라는 말은 시초를 만든 뒤 괘를 세우기 전에 하는 것이다. 시초를 사용하여 수를 얻은 뒤에 그것을 펼쳐 괘를 만들기 때문에 7·8·9·6이 그것에 해당한다."

案

'參天兩地', 以方圓徑圍定之, 亦其大致爾. 實則徑一者不止圍

---

7) 공영달 소(孔穎達 疏), 『주역주소(周易註疏)』 권13.

三, 非密率也. 以理言之, 則張氏所謂以一包兩者是. 蓋天能兼
地, 故一竝二以成三也. 以算言之, 則孔氏所謂兩爲耦數之始,
三爲奇數之初者是. 蓋以一乘一, 以一除一, 皆不可變, 故乘除
之數, 起於三與二也. 以象言之, 凡圓者錯置三點, 求心而規之
卽成; 凡方者錯置兩點, 折角而矩之卽成. 統而言之, 皆數也, 故
'參天兩地'者, 數之原也.

'하늘의 수(數)는 세 배하는 것이고 땅의 수는 두 배하는 것'은 네모
와 원의 지름과 둘레로 정한 것이지만 또한 대체로 그러할 뿐이다.
사실 지름이 1일 때 둘레가 3에 그치지는 않으니 밀율(密率 : 엄밀
한 원주율)이 아니다. 이치로 말하면 장씨(張氏)의 이른바 하나로
둘을 감싼다는 말이 이것이다. 하늘은 땅을 겸할 수 있기 때문에
하나가 둘을 아울러서 셋을 이룬다. 계산으로 말하면 공씨(孔氏 :
孔穎達)의 이른바 2가 짝수의 시작이 되고 3이 홀수의 처음이 된
다는 말이 이것이다. 하나에 하나를 곱하고 하나에 하나를 나누는
것은 모두 변할 수 없기 때문에 곱하고 나누는 수는 3과 2에서 일
어난다. 형상으로 말하면 원은 세 점을 두고 중심을 구하여 컴퍼스
로 둥글게 그리면 이루어지고, 사각형은 두 점을 두고 각을 꺾어서
곱자로 각이 나게 그리면 이루어진다. 총괄해서 말하면 모두 수이
기 때문에 '하늘의 수(數)는 세 배하는 것이고 땅의 수는 두 배하는
것'이라는 말이 수의 근원이다.

其用於筮法, 則爲七·八·九·六者. 蓋以理言之, 則參兩之數,
皆統之以三. 故三三爲九, 三二爲六, 一三·二二爲七, 一二·二
三爲八也. 以算言之, 奇數起於一·三, 成於九·七; 耦數起於二
·四, 成於八·六. 故以其成數紀陰陽, 陽之進者爲老, 退者爲少;
陰之退者爲老, 進者爲少也. 以象言之, 凡圓者以六而包一, 虛

其中則六也, 實其中則七也; 凡方者以八而包一, 實其中則九也, 虛其中則八也.

그것을 점치는 방법에 사용하면 7·8·9·6이 된다. 이치로 말하면 3과 2라는 수는 모두 3으로 통합된다. 그러므로 3을 세 번하면 9이고, 2를 세 번하면 6이며, 3을 한 번하고 2를 두 번하면 7이고, 2를 한 번하고 3을 두 번하면 8이 된다. 계산으로 말하면 홀수는 1과 3에서 시작하여 9와 7에서 이루어지고, 짝수는 2와 4에서 시작하여 8과 6에서 이루어진다. 그러므로 그 이루어진 수로써 음과 양을 기준으로 삼으면 양이 나아간 것이 노(老)가 되고 물러난 것이 소(少)가 되며, 음이 물러난 것이 노(老)가 되고 나아간 것이 소(少)가 된다. 형상으로 말하면 원은 6으로 하나를 감싸니 그 가운데를 비우면 6이고 그 가운데를 채우면 7이며, 사각형은 8로 하나를 감싸니 그 가운데를 채우면 9이고 그 가운데를 비우면 8이다.

陽圓陰方, 陽實陰虛, 故唯七圓而實, 爲盛陽, 唯八方而虛, 爲壯陰. 九雖實而積方, 則陽將變而爲陰矣, 故爲老陽; 六雖虛而積圓, 則陰將變而爲陽矣, 故爲老陰也. 其數皆自參·兩中來, 故曰 '倚數.'

양은 원이고 음은 네모이며 양은 차있는 것이고 음은 비어 있는 것이기 때문에, 오직 7인 원이 채워져 성대한 양이 되고 오직 8인 네모가 비워서 왕성한 음이 된다. 9는 비록 채워졌지만 네모를 쌓은 것이니 양이 장차 변하여 음이 되기 때문에 노양(老陽)이 되고, 6은 비록 비었지만 원이 쌓인 것이니 음이 장차 변하여 양이 되기 때문에 노음(老陰)이 된다. 그 수는 모두 3과 2로부터 나왔기 때문에 '수에 의지한다'라고 했다.

觀變於陰陽而立卦, 發揮於剛柔而生爻, 和順於道
德而理於義, 窮理盡性以至於命.

음양에 변(變)하는 것을 보아 괘를 세우고, 강유(剛柔)에 발휘하여
효를 만들어 내니, 도덕에 순응하고 의(義)에 알맞게 하며, 이치를
궁구하고 성(性)을 다 발휘하여 명(命)에 이른다.

本義

'和順', 從容無所乖逆, 統言之也. 理, 謂隨事得其條理, 析言
之也. 窮天下之理, 盡人物之性, 而合於天道, 此聖人作易之
極功也.

'순응함[和順]'은 조용하여 위배됨이 없는 바이니 총괄하여 말한 것
이다. '알맞게 함[理]'은 일에 따라 그 조리를 얻음을 이르니 분석하
여 말한 것이다. 천하의 이치를 궁구하고 사람과 만물의 성(性)을
다 발휘하여 천도(天道)에 합치하니, 이는 성인이 역(易)을 지은 지
극한 공로이다.

此第一章.

이는 제1장이다.

● 韓氏伯曰 : "卦, 象也; 蓍, 數也. 卦則'雷風相薄, 山澤通氣', 擬象陰陽變化之體; 蓍則錯綜天地參兩之數, 蓍極數以定象. 卦備象以盡數, 故蓍曰'參天兩地而倚數', 卦曰'觀變於陰陽.'"8)

한백(韓伯)이 말했다. "괘는 형상이고 시초(蓍草)는 수(數)이다. 괘는 '우레와 바람이 서로 치고 산과 못이 기(氣)를 통하는' 것이니 음과 양이 변화하는 체(體)를 그 형상으로 모방한 것이고, 시초는 하늘과 땅의 3과 2의 수를 뒤섞어 시초를 끝까지 세어 형상을 정한 것이다. 괘는 형상을 갖추어 수를 다 발휘하기 때문에 시초에 대해서는 '하늘의 수(數)는 세 배하는 것이고 땅의 수는 두 배하는 것이어서 수(數)에 의지한다'라 하였고, 괘에 대해서는 '음양에 변(變)하는 것을 본다'라고 하였다."

● 孔氏穎達曰 : "「繫辭」言伏羲作易之初, 故直言仰觀俯察. 此則論其旣重之後, 端策布爻, 故先言'生蓍', 後言'立卦', 非是聖人幽贊在觀變之前也."9)

공영달(孔穎達)이 말했다. "「괘사전」에서는 복희씨가 처음 역(易)을 지은 것을 말했기 때문에 곧바로 우러러 관찰하고 굽혀 관찰한다고 말했다. 여기에서는 이미 8괘를 중첩한 뒤에 시초를 단정하게 놓고 효를 배치하는 것을 논했기 때문에 먼저 '시초를 만든다'고 했고 뒤에 '괘를 세운다'라고 말했으니, 성인이 변하는 것을 관찰하기 전에 그윽이 도운 것이 아니다."

---

8) 한백(韓伯), 『주역주소(周易註疏)』 권13.
9) 공영달 소(孔穎達 疏), 『주역주소(周易註疏)』 권13.

● 邵子曰 : "天使我有是之謂命, 命之在我之謂性, 性之在物之
謂理."10)

소자(邵子 : 邵雍)가 말했다. "하늘이 나에게 이것을 가지도록 한 것
을 명(命)이라 하고, 명이 나에게 있는 것을 성(性)이라 하며, 성이
사물에 있는 것을 리(理)라고 한다."

●『朱子語類』, 問 : "觀變於陰陽而立卦', 是就著數上觀否?" 曰
: "恐只是就陰陽上觀, 未用說到著數處."11)

『주자어류』에서 물었다. "'음양에 변(變)하는 것을 보아 괘를 세웠
다'라는 말은 시초의 수(數)에서 관찰했다는 뜻입니까?"
(주자가) 대답했다. "아마 음양에서 관찰했을 뿐이니, 아직 시초의
수까지는 말할 필요가 없을 것이다."

● 問 : "旣有卦則有爻矣, 先言卦而後言爻, 何也?" 曰 : "方其立
卦, 只見是卦; 及細別之, 則有六爻."

물었다. "이미 괘가 있었다면 효가 있었을 것인데 먼저 괘를 말하
고 뒤에 효를 말한 것은 무엇 때문입니까?"
(주자가) 대답했다. "막 괘를 세우고 나면 이 괘를 볼 뿐이고, 그것
을 자세히 구별하게 되면 6개의 효가 있다."

---

10) 소옹(邵雍),『황극경세서(皇極經世書)』권14,「관물외편 하(觀物外篇下)」.
11) 주희,『주자어류』권77, 11조목.

又問 : "陰陽·剛柔, 一也, 而別言之, 何也?" 曰 : "'觀變於陰陽', 近於造化而言; '發揮剛柔', 近於人事而言. 且如泰卦, 以卦言之, 只見得小往大來·陰陽消長之意, 爻裏面便有'包荒'之類."12)

또 물었다. "음양과 강유(剛柔)는 한 가지인데 그것을 구별해서 말한 것은 무엇 때문입니까?"
(주자가) 대답했다. "'음양에 변(變)하는 것을 본다'는 것은 조화(造化)에 가깝게 말하였고, '강유(剛柔)에 발휘한다'는 것은 사람의 일에 가깝게 말한 것이다. 예컨대 태(泰䷊)괘를 괘로 말하면 다만 작은 것이 가고 큰 것이 오며, 음과 양이 사그라지고 불어나는 뜻을 볼 수 있을 뿐이지만, 효 안에는 '거친 것을 포용해준다'라는 따위의 뜻을 가지고 있다."

● 又云 : "'和順於道德', 是默契本原處; '理於義', 是應變合宜處. 物物皆有理, 須一一推窮. 性則是理之極處, 故云'盡'; 命則性之所自來處, 故云'至.'"13)

(주자가) 또 말했다. "'도덕에 순응한다'는 것은 본원에 암묵적으로 합치한다는 뜻이고, '의(義)에 알맞게 한다'는 것은 합당함에 순응하여 변화한다는 말이다. 사물마다 모두 리(理)가 있으니 반드시 하나하나 미루어 궁구해야 한다. 성(性)은 리(理)의 극진한 곳이기 때문에 '다 발휘한다'라고 말했고, 명(命)은 성(性)이 유래한 곳이기 때문에 '이른다'고 말했다."

---

12) 주희, 『주자어류』 권77, 13조목.
13) 주희, 『주문공문집』 권37, 「답허순지(答許順之)」.

● 問"窮理盡性至於命." 曰 : "此本是就『易』上說. 『易』上盡具許多道理, 直是窮得物理, 盡得人性, 到得那天命. 所以『通書』說『易』者性命之原."14)

"이치를 궁구하고 성(性)을 다 발휘하여 명(命)에 이른다"라는 말에 대해 물었다.

(주자가) 대답했다. "이는 본래『역(易)』에서 말한 것이다. 『역』은 수많은 도리를 모두 갖추고 있으니, 다만 사물의 이치를 궁구하고 사람의 성(性)을 다 발휘하면 천명에 도달할 수 있다. 그러므로『통서(通書)』에서『역』은 성명(性命)의 근원이라고 설명했다."

● 項氏安世曰 : "道卽命, 德卽性, 義卽理. '和順於道德而理於義, 窮理盡性以至於命', 反覆互言也. 『易』之奇耦, 在天之命, 則爲陰陽之道; 在人之性, 則爲仁義之德; 在地之宜, 則爲剛柔之理. '和順於道德而理於義', 自幽而言以至於顯, 此所謂顯道也. '窮理盡性以至於命', 自顯而言以至於幽, 此所謂神德行也."15)

항안세(項安世)가 말했다. "도(道)는 곧 명(命)이고 덕은 곧 성(性)이며 의(義)는 곧 리(理)이다. '도덕에 순응하고 의(義)에 알맞게 하며, 이치를 궁구하고 성(性)을 다 발휘하여 명(命)에 이른다'라는 말은 반복하여 교착해서 말한 것이다. 『역』의 홀과 짝은 하늘의 명령에서는 음양의 도가 되고, 사람의 성(性)에서는 인의의 덕이 되며, 땅의 마땅함에서는 강유(剛柔)의 이치가 된다. '도덕에 순응하

---

14) 동해(董楷), 『주역전의부록(周易傳義附錄)』권12에 주희의 말로 기재되어 있다.

15) 항안세(項安世), 『주역완사(周易玩辭)』권15.

고 의(義)에 알맞게 한다'라는 말은, 그윽한 것으로부터 말하여 드러난 것에까지 이르니 이것이 이른바 도를 드러낸다는 뜻이다. '이치를 궁구하고 성(性)을 다 발휘하여 명(命)에 이른다'라는 말은 드러난 것으로부터 말하여 그윽한 것에까지 이르니, 이것이 이른바 덕행을 신묘하게 한다는 뜻이다."

● 陳氏淳曰 : "理與性對說, 理乃是在物之理, 性乃是在我之理. 在物底, 便是天地·人物公共底道理; 在我底, 乃是此理已具得爲我所有者."[16]

진순(陳淳)이 말했다. "리(理)와 성(性)은 짝하여 말한 것이니, 리는 사물에 있는 이치이고 성은 나에게 있는 이치이다. 사물에 있는 것은 곧 하늘과 땅 사람과 사물이 공유하는 도리이고, 나에게 있는 것은 곧 이 리가 이미 갖추어져 내가 지니게 된 것이다."

● 徐氏幾曰 : "如乾爲天道, 而「彖」之'元·亨·利·貞'則其德, 爻之'潛'·'見'·'躍'·'飛'則其義. 以一卦而統言之, 所謂'和順'也; 就六爻而言之, 所謂'理'也. 善觀『易』者, 推爻義以窮天下之理, 明卦德以盡一己之性. '窮理盡性', 則進退·存亡·得喪之大道可以知, 而天命在我矣."

서기(徐幾)가 말했다. "예컨대 건(乾)은 천도(天道)이고,「단전」의 '원·형·이·정'은 그 덕이며, 효사에서 '잠겨있다'·'나타난다'·'뛰어오른다'·'날아다닌다'라는 말은 그 의미인 것과 같다. 하나의 괘로

16) 진순(陳淳), 『북계자의(北溪字義)』권 하(下), 「리(理)」.

써 통틀어 말하면 이른바 '순응함'이고, 여섯 효에서 말하면 이른바 '리(理 : 알맞게 함)'이다. 『역』을 잘 살펴보는 사람은 효사의 의미를 추론하여 천하의 이치를 궁구하고 괘의 덕을 밝혀 자신의 성(性)을 다 발휘한다. '이치를 궁구하고 성(性)을 다 발휘하면' 나아감과 물러남, 보존과 멸망, 얻음과 잃음의 큰 도리를 알아서 천명이 나에게 있을 것이다."

● 龔氏煥曰 : "上句是自源而流, 下句是自末而本. 蓋必和順於道德, 而後能理於義; 必窮理盡性, 而後能至於命也."[17]

공환(龔煥)이 말했다. "윗 구절은 근원에서 흘러나오는 것이고 아랫 구절은 말단에서 근본으로 돌아가는 것이다. 반드시 도덕에 순응한 뒤에 의(義)에 알맞게 할 수 있으며, 이치를 궁구하고 성(性)을 다 발휘한 뒤에 명(命)에 이를 수 있다."

● 盧氏曰 : "立卦 · 生爻, 在聖人作易上看. 若作蓍數之變說, 卻是用易了. 朱子謂未用說到蓍數處, 是也. 聖人觀察天地變化之道, 而立乾坤等卦, 故曰 '觀變於陰陽而立卦.' 旣觀象立卦, 又就卦中剛 · 柔兩畫, 或上或下, 微細闡發出來, 而生變動之爻, 故曰 '發揮於剛柔而生爻.'"

노씨(盧氏)가 말했다. "괘를 세우는 것과 효를 만드는 것은 성인이 역을 만드는 데서 본 것이다. 시초 수의 변화를 가지고 말하면 또한 역을 사용한 것이다. 주자(朱子)가 (『주자어류』 권77, 11조목)

---

17) 웅량보(熊良輔), 『주역본의집성(周易本義集成)』 권10에 공환(龔煥)의 말로 기록되어 있다.

'아직 시초의 수까지는 말할 필요가 없을 것이다'라고 한 말이 이것이다. 성인은 천지가 변화하는 도를 관찰하여 건·곤 등의 괘를 세웠기 때문에 '음양에 변(變)하는 것을 보아 괘를 세웠다'라고 말했다. 이미 그 형상을 관찰하여 괘를 세웠고, 또 괘 가운데 강(剛)·유(柔) 두 획을 혹은 위로 하고 혹은 아래로 하여 미세하게 밝혀 변동하는 효를 만들었기 때문에 '강유(剛柔)에 발휘하여 효를 만들어 내었다'라고 말했다."

● 何氏楷曰 : "數旣形矣, 卦斯立焉. 卦旣立矣, 爻斯生焉. '和順於道德而理於義', 從合而分; '窮理盡性以至於命', 從分而合. 理·義非二也. 程子謂'在物爲理, 處物爲義', 是也. 性命與道德非二也. 子思謂'天命之謂性, 率性之謂道', 是也. 窮·盡·至, 皆造極之意. 性者理之原, 理窮則逢其原, 故窮理所以盡性; 命者性之原, 性盡則逢其原, 故盡性所以至命. 只是一事."[18]

하해(何楷)가 말했다. "수가 이미 나타나니 괘가 이에 세워졌다. 괘가 이미 세워지니 효가 이에 생겨났다. '도덕에 순응하고 의(義)에 알맞게 한다'라는 것은 종합에서 분석한 것이고, '이치를 궁구하고 성(性)을 다 발휘하여 명(命)에 이른다'는 것은 분석에서 종합한 것이다. 리(理)와 의(義)는 둘이 아니다. 정자가 '사물에 있는 것은 리(理)이고 사물을 처리하는 것은 의(義)이다'[19]라고 한 말이 이것이다. 성명(性命)과 도덕은 둘이 아니다. 자사(子思)가 '하늘이 명령한 것을 성(性)이라 하고, 성을 따르는 것을 도(道)라고 한다'[20]라

---

18) 하해(何楷), 『고주역정고(古周易訂詁)』권14.
19) 사물에 있는 것은 리(理)이고 사물을 처리하는 것은 의(義)이다 : 정호·정이, 『하남정씨수언(河南程氏粹言)』권상(上)「논도편(論道篇)」.

고 한 말이 이것이다. '궁구한다'·'다 발휘한다'·'이른다'라고 한 것은 모두 끝까지 이른다는 뜻이다. 성(性)은 리(理)의 근원이니 리가 궁구되면 그 근원을 만나기 때문에 리를 궁구하는 것은 성을 다 발휘하는 근거이다. 명(命)은 성(性)의 근원이기 때문에 성을 다 발휘하면 그것으로 명에 이를 수 있다. 이것들은 다만 한 가지일 뿐이다."

總論

● 孔氏穎達曰 : "'昔者聖人'至'以至於命', 此一節將明聖人引伸·因重之意. 故先敍聖人本制蓍數卦爻, 備明天道人事妙極之理."[21]

공영달(孔穎達)이 말했다. "'옛날에 성인이'에서 '명(命)'에 이른다'까지 이 제1장은 성인이 늘여서 펼치고 따라서 중첩한 뜻을 밝혔다. 그러므로 먼저 성인이 본래 시초의 수와 괘와 효를 만든 것을 서술하여 천도(天道)와 인사(人事)의 지극히 오묘한 이치를 자세히 밝혔다."

● 何氏楷曰 : "此章統論蓍卦及爻辭. 聖人, 謂羲·文·周公. 『乾鑿度』曰, '垂皇策者羲', 則自伏羲時已用蓍矣. 卦爻辭, 至文王·周公始繫, 此以知其總言之也."[22]

---

20) 하늘이 명령한 것을 성(性)이라 하고, 성을 따르는 것을 도(道)라고 한다 : 『중용』 제1장.

21) 공영달 소(孔穎達 疏), 『주역주소(周易註疏)』 권13.

22) 하해(何楷), 『고주역정고(古周易訂詁)』 권14.

하해(何楷)가 말했다. "이 제1장은 시초와 괘사 및 효사를 총괄해서 논했다. 성인은 복희씨·문왕·주공을 말한다. 『건착도(乾鑿度)』에서 '8괘를 그은 것은 복희씨이다'라고 했으니, 복희씨 때부터 이미 시초를 썼을 것이다. 괘사와 효사는 문왕과 주공에 이르러 비로소 붙여졌으니 이를 통해 이 제1장이 총괄해서 말한 것임을 알 수 있다."

案

此章次第最明. 『易』爲卜筮之書, 而又爲五經之原者, 於此章可見矣. '生蓍'者, 立蓍筮之法也. '倚數'者, 起蓍筮之數也. '立卦·生爻', 則指畫卦·繫辭言之. 是二者蓍筮之體而言於後, 明『易』爲卜筮而作也. '和順於道德而理於義', 言卦畫旣立, 則有以契合乎天之道·性之德, 而下周乎事物之宜也. '窮理盡性以至於命', 言爻辭旣設, 則有以窮盡乎事之理·人之性, 而上達乎天命之本也. 夫『易』以卜筮爲敎, 而道德性命之奧存焉. 然則以禨祥之末言『易』者, 迷道之原者也; 以事物之跡言『易』者, 失敎之意者也.

이 제1장은 그 차례가 가장 분명하다. 『역』이 점을 치는 책이면서 또 오경(五經)의 근원이 되는 것을 이 장에서 알 수 있다. '시초를 만들었다'는 것은 시초로 점치는 방법을 세웠다는 뜻이다. '수에 의지한다'는 것은 시초로 점치는 수를 일으켰다는 말이다. '괘를 세우고 효를 만들었다'는 것은 괘를 긋고 설명을 붙였음을 가리켜 말한다. 이 둘은 시초로 점치는 체(體)인데 뒤에 말한 것은 『역』이 점을 치기 위해 만들어졌음을 밝혔다. '도덕에 순응하고 의(義)에 알맞게 한다'는 것은 괘를 그은 것이 이미 세워졌으니 그것으로 하늘의 도와 성(性)의 덕에 부합하고 아래로 사물의 마땅함에 두루함이 있음을 말한다. '이치를 궁구하고 성(性)을 다 발휘하여 명(命)에 이른다'는 것은 효사가 이미 만들어졌으니 그것으로 사물의 리(理)와 사람의 성(性)을 다 궁구하여 위로 천명의 근본에 도달한다는 뜻이다. 무릇 『역』은 점치는 것을 가르침으로 삼지만 도덕과 성명(性命)의 심오한 뜻이 보존되어 있다. 그렇다면 복을 바라는 말단으로 『역』을 말하는 자는 도의 근원에 대해 미혹된 자이고, 사물의 자취로 『역』을 말하는 자는 가르침의 뜻을 잃은 자가 될 것이다.

설괘 2

[설괘 2-1]

昔者聖人之作易也, 將以順性命之理. 是以立天之
道曰陰與陽, 立地之道曰柔與剛, 立人之道曰仁與
義. 兼三才而兩之. 故易六畫而成卦, 分陰分陽, 迭
用柔剛, 故易六位而成章.

옛날에 성인이 역(易)을 지은 것은 그것으로 성명(性命)의 이치를
순조롭게 하려는 것이었다. 이 때문에 하늘의 도(道)를 세워 음(陰)
과 양(陽)이라 했고, 땅의 도를 세워 유(柔)와 강(剛)이라 했으며,
사람의 도를 세워 인(仁)과 의(義)라고 했으니, 삼재(三才)를 겸하여
두 번씩 했다. 그러므로 역(易)은 여섯 번 그어서 괘를 이루고, 음(陰)
으로 나뉘고 양(陽)으로 나뉘며 유(柔)와 강(剛)을 번갈아 썼다. 그러
므로 역(易)은 여섯 개의 자리에 문장(文章)을 이룬 것이다.

本義

'兼三才而兩之', 總言六畫. 又細分之, 則陰陽之位, 間雜而成

文章也.

'삼재(三才)를 겸하여 두 번 했다'는 것은 여섯 획을 총괄하여 말하였다. 또 그것을 자세히 나누면 음(陰)·양(陽)의 자리가 사이에 섞여 문장(文章)을 이루었다.

此第二章.

이는 제2장이다.

集說

● 崔氏憬曰 : "此明一卦六爻, 有三才二體之義. 故明天道旣立陰陽, 地道又立剛柔, 人道亦立仁義也. 何則? 在天雖剛, 亦有柔德, 在地雖柔, 亦有剛德. 故『書』曰'沈潛剛克, 高明柔克.' 人稟天地, 豈不兼仁義乎? 所以易道兼之矣."[1]

최경(崔憬)이 말했다. "이는 하나의 괘 여섯 개의 효에 삼재(三才)와 두 개의 성질이 있다는 의미를 밝힌 것이다. 그러므로 하늘의 도가 이미 음과 양을 세우니, 땅의 도가 또 강과 유를 세우고 사람의 도 또한 인과 의를 세웠다는 것을 밝혔다. 왜 그러한가? 하늘에서는 비록 강(剛)이라 하더라도 또한 유(柔)의 덕이 있고 땅에서는 비록 유(柔)라고 하더라도 또한 강(剛)의 덕이 있기 때문이다. 그러므로 『서경』에서 '침잠(沈潛)한 자는 강(剛)으로 다스리고, 고명(高

---

1) 이정조(李鼎祚), 『주역집해(周易集解)』 권17에 최경의 말로 실려 있다.

明)한 자는 유(柔)로 다스린다'2)라고 했다. 사람은 천지를 품부 받았으니 어찌 인과 의를 겸하지 않겠는가? 그러므로 역의 도는 그것을 겸하였다."

● 朱氏震曰 : "'易有太極', 陰陽者 ; 太虛聚而有氣, 柔剛者. 氣聚而有體, 仁義根於太虛, 見於氣體, 動於知覺者也. 自萬物一源觀之謂之性, 自稟賦觀之謂之命, 自天地人觀之謂之理, 三者一也. 聖人將以順性命之理, 曰陰陽, 曰柔剛, 曰仁義, 以立天地人之道, 蓋互見也. 易兼三才而兩之, 六畫成卦, 則三才合而爲一, 然道有變動, 故分陰分陽, 迭用柔剛."3)

주진(朱震)이 말했다. "'역에 태극이 있다'는 것은 음양이고, 태허가 모여 기(氣)가 있게 된다는 것은 강유(剛柔)이다. 기가 모여 몸체가 있게 되고, 인의는 태허에 뿌리를 두고 기의 몸체에 나타나며 지각에서 움직이는 것이다. 만물이 근원을 하나로 한다는 것으로 살펴보면 성(性)이라 하고, 품부로 살펴보면 명(命)이라고 하며, 하늘과 땅과 사람으로 살펴보면 리(理)라고 하니, 그 셋은 한 가지이다. 성인이 그것으로 성명(性命)의 이치를 순조롭게 하여 음양·강유·인의로 하늘과 땅과 사람의 도를 세운 것은 서로 참조해서 본 것이다. 역(易)이 삼재(三才)를 겸하여 두 번씩 해서 6개의 획으로 괘를 이루니 삼재는 합쳐 하나가 되었지만, 도에 변동이 있기 때문에 음(陰)으로 나뉘고 양(陽)으로 나뉘며 유(柔)와 강(剛)을 번갈아 쓰게 되었다."

---

2) 침잠(沈潛)한 자는 강(剛)으로 다스리고, 고명(高明)한 자는 유(柔)로 다스린다 : 『서경』「주서(周書)·홍범(洪範)」
3) 주진(朱震), 『한상역전(漢上易傳)』 권9.

● 郭氏雍曰：“‘分陰分陽’，非謂立天之道陰陽也．言三才二道，皆一爲陰一爲陽，見於六位也．‘迭用柔剛’，非謂立地之道柔剛也．言三才陰陽，分爲六畫，迭以九六・柔剛居之也．故三才二道，不兼九・六言之，則曰‘六畫’；兼明九六・柔剛，而後謂之‘六位’．”4)

곽옹(郭雍)이 말했다. “‘음(陰)으로 나뉘고 양(陽)으로 나누었다’는 하늘의 도를 세워 음양이라 함을 말하는 것이 아니다. 그것은 삼재와 두 개의 도가 모두 하나는 음이 되고 하나는 양이 되어 6개의 자리에 나타남을 말한다. ‘유(柔)와 강(剛)을 번갈아 썼다’는 땅의 도를 세워 강유함을 말하는 것이 아니다. 그것은 삼재와 음양이 나뉘어서 6개의 획이 되고 번갈아서 9·6과 강·유로 자리 잡았음을 말한다. 그러므로 삼재와 두 개의 도는 9·6을 겸해서 말하지 않으니 ‘6개의 획’이라 말하고, 9·6과 강유를 겸해서 밝힌 뒤에 ‘6개의 자리’라고 말한다.”

● 『朱子語類』云：“陰陽・剛柔・仁義，看來當曰‘義與仁’，當以仁對陽．仁若不是陽剛，如何作得許多造化？義雖剛，卻主於收斂，仁卻主發舒．這也是陽中之陰，陰中之陽．互藏其根之意．且如今人用賞罰：到賜與人，自足無疑，便作將去；若是刑殺時，便遲疑不肯果決．這見得陽舒陰斂，仁屬陽，義屬陰處．”5)

『주자어류』에서 말했다. “음양·강유·인의는 살펴보건대 마땅히 ‘의(義)와 인(仁)’이라 해야 하니 인을 양에 짝지어야 하기 때문이

----

4) 곽옹(郭雍), 『곽씨전가역설(郭氏傳家易說)』 권9.
5) 주희, 『주자어류』 권77, 33조목.

다. 인이 양강(陽剛)이 아니라면 어떻게 수많은 조화(造化)를 이룰 수 있겠는가? 의는 비록 강이지만 오히려 수렴하는 것을 위주로 하고, 인은 오히려 발산을 위주로 한다. 이는 또한 양 가운데의 음이고 음 가운데의 양이다. 이는 서로 그 뿌리를 감추는 뜻이다. 또한 요즘 사람들이 상벌을 씀에, 남에게 상을 하사할 때는 스스로 만족하여 의심할 것 없이 곧바로 처리하지만, 만약 사형에 처할 때라면 머뭇거리며 과감하게 결단하려 하지 않는다. 이는 양이 펴고 음이 거두어들여, 인은 양에 속하고 의는 음에 속함을 알 수 있다."

● 邱氏富國曰: "上言'窮理·盡性·至命', 此言'順性命', 則『易』中所言之理, 皆性命也. 然所謂性命之理, 卽陰陽·柔剛·仁義, 是也. '兼三才而兩之', 言重卦也. 方卦之小成, 三畫已具三才之道, 至重而六, 則天地人之道各兩, 所謂'六畫成卦'也. '分陰分陽', 以位言. 凡卦初·三·五位爲陽, 二·四·上位爲陰, 自初至上, 陰陽各半, 故曰'分.' '迭用柔剛', 以爻言. 柔謂六, 剛謂九也. 位之陽者, 剛居之, 柔亦居之; 位之陰者, 柔居之, 剛亦居之. 或柔或剛, 更相爲用, 故曰'迭.' 分之以示其經, 迭用以爲之緯, 經緯錯綜, 粲然有文, 所謂'六位成章'也."

구부국(邱富國)이 말했다. "위에서는 '이치를 궁구하고 성(性)을 다 발휘하여 명(命)에 이른다'라고 말했고 여기에서는 '성명(性命)을 따른다'라고 말했으니, 『역』에서 말하는 이치는 모두 성명(性命)이다. 그러나 이른바 성명의 이치는 음양·강유·인의가 이것이다. '삼재(三才)를 겸하여 두 번씩 했다'는 괘를 중첩한 것을 말한다. 괘가 소성(小成)했을 때 3개의 획이 이미 삼재의 도를 갖추었지만, 중첩하여 6개에 이르면 하늘과 땅과 사람의 도가 각각 둘씩 되기 때문에 이른바 '여섯 번 그어서 괘를 이룬다'는 것이다. '음(陰)으로 나

뉘고 양(陽)으로 나눈다'는 자리로 말한 것이다. 무릇 괘의 초효·
제3효·제5효의 자리는 양이 되고, 제2효·제4효·상효의 자리는
음이 되어, 초효로부터 상효에 이르기까지 음과 양이 각각 절반이
기 때문에 '나눈다'라고 말했다. '유(柔)와 강(剛)을 번갈아 썼다'는
효로 말한 것이다. 유(柔)는 6을 말하고, 강(剛)은 9를 말한다. 양
자리에 강이 자리 잡기도 하고 유도 또한 자리 잡으며, 음 자리에
유가 자리 잡기도 하고 강도 또한 자리 잡는다. 혹은 유가 자리 잡
고 혹은 강이 자리 잡아 서로 교체해서 쓰기 때문에 '번갈아'라고
하였다. 그것을 나눈 것으로 날줄[經]을 보여주고 번갈아 사용한 것
으로 씨줄[緯]을 삼아 날줄과 씨줄이 교착하여 찬연히 문채가 나니
이른바 '여섯 개의 자리에 문장(文章)을 이루었다'는 말이다."

● 吳氏澄曰 : "性之理, 謂人之道也; 命之理, 謂天地之道也. 天
之氣有陰陽, 地之質有柔剛, 人之德有仁義. 道則主宰其氣質而
爲是德者也."[6]

오징(吳澄)이 말했다. "성(性)의 리(理)는 사람의 도를 말하고 명
(命)의 리(理)는 하늘과 땅의 도를 말한다. 하늘의 기(氣)에는 음
과 양이 있고, 땅의 질(質)에는 유와 강이 있으며, 사람의 덕(德)에
는 인과 의가 있다. 도는 그 기와 질을 주재하여 이 덕이 되는 것
이다."

● 又曰 : "上文以陰陽爲天之道, 下'陰陽'二字, 則總言六位也.
六位之中, 分初·三·五爲陽位, 二·四·上爲陰位也. 上文以柔

---

6) 오징(吳澄), 『역찬언(易纂言)』 권10.

剛爲地之道, 下'柔剛'二字, 則總言六畫也. 六畫之中, 奇畫皆謂
之剛, 耦畫皆謂之柔也. 位無質, 故以陰陽名之; 畫有質, 故以柔
剛名之. 位之陰陽相間, 則分布一定; 畫之柔剛不同, 則迭用以
居. 「繫辭傳」所謂'物相雜曰文', 卽此'成章'之謂也."⁷⁾

또 (오징(吳澄)이) 말했다. "윗글에서 음양을 하늘의 도로 삼았는
데, '음양'이라는 두 글자를 쓴 것은 6개의 자리를 총괄해서 말하였
다. 6개의 자리 가운데 나누어 초효·제3효·제5효가 양의 자리가
되고 제2효·제4효·상효가 음의 자리가 된다. 윗글에서 유강(柔剛)
을 땅의 도로 삼았는데, '유강'이라는 두 글자를 쓴 것은 6개의 획을
총괄해서 말하였다. 6개의 획 가운데 홀수의 획은 모두 강(剛)이라
하고 짝수의 획은 모두 유(柔)라고 한다. 자리에는 질(質)이 없기
때문에 음양으로 그것을 이름 지었고, 획에는 질이 있기 때문에 유
강으로 이름 지었다. 자리에서 음양이 서로 사이를 두니 나누어 펼
쳐진 것이 일정하고 획에서 유강이 같지 않으니 번갈아 써서 자리
잡는다. 「계사전」([10-2])에 이른바 '사물이 서로 섞여 있기 때문에
문(文 : 문양이 어울림)이라고 한다'라는 말은 바로 이 '문장(文章)
을 이루었다'는 것을 뜻한다."

● 胡氏炳文曰 : "上章'和順於道德', 統言之也; '理於義', 析言之
也. 此章'六畫而成卦', 統言之也; '分陰分陽, 迭用柔剛, 六位而
成章', 又析言之也."⁸⁾

호병문(胡炳文)이 말했다. "윗 장에서 '도덕에 순응한다'라고 한 것

7) 오징(吳澄), 『역찬언(易纂言)』 권10.
8) 호병문(胡炳文), 『주역본의통석(周易本義通釋)』 권8.

은 총괄해서 말하였고, '의(義)에 알맞게 한다'라고 한 것은 분석해서 말하였다. 이 장에서 '여섯 번 그어서 괘를 이루었다'라고 한 것은 총괄해서 말하였고, '음(陰)으로 나뉘고 양(陽)으로 나뉘며, 유(柔)와 강(剛)을 번갈아 쓰며, 여섯 개의 자리에 문장(文章)을 이루었다'라고 한 것은 또 분석해서 말하였다."

● 蔡氏淸曰 : "'立天之道', 非有以立之也, 謂天道之立以陰陽也. 其曰'分陰分陽'者, 陰陽之自分也; 其曰'迭用柔剛'者, 剛柔之自迭用也, 非有分之用之者也."9)

채청(蔡淸)이 말했다. "'하늘의 도(道)를 세운다'는 어떤 것으로 그것을 세우는 일이 아니라 하늘의 도가 음양으로 섰다는 것을 말한다. '음(陰)으로 나뉘고 양(陽)으로 나뉜다'라는 말은 음·양이 스스로 나뉜다는 것이며, '유(柔)와 강(剛)을 번갈아 썼다'라는 말은 유·강이 스스로 번갈아 썼다는 것이지, 그것을 나누고 그것을 쓰는 것이 있다는 뜻이 아니다."

● 何氏楷曰 : "此章言卦畫'順性命之理', 卽上章所謂'和順於道德而理於義, 窮理盡性以至於命'者, 以一言蔽之也. 性者人之理, 命者天地之理. 陰陽·剛柔·仁義, 正所謂'性命之理'也. 分陰陽, 用柔剛, 以斷吉凶而成亹亹, 則仁義之道, 固在其中矣."10)

하해(何楷)가 말했다. "이 장에서 괘의 획이 '성명(性命)의 이치를 순조롭게 하였다'라고 말한 것은 바로 윗 장에서 이른바 '도덕에 순

9) 채청(蔡淸), 『역경몽인(易經蒙引)』 권12 상(上).
10) 하해(何楷), 『고주역정고(古周易訂詁)』 권14.

응하고 의(義)에 알맞게 하며, 이치를 궁구하고 성(性)을 다 발휘하여 명(命)에 이른다'라는 말을 한 마디로 개괄한 것이다. 성(性)은 사람의 리(理)이고 명(命)은 하늘과 땅의 리(理)이다. 음양·강유·인의는 바로 '성명(性命)의 리(理)'이다. 음양으로 나누고 강유를 써서 길흉을 결단하고 힘써야 할 일을 이루면, 인의 도가 참으로 그 가운데에 있다."

案

上章總論易道, 此章以下, 專明卦也. 上章云'觀變於陰陽而立卦, 和順於道德而理於義', 此章卽所以申其指. 性, 卽德也. 命, 卽道也. 性命流行於事物而理名焉, 卽道德之散而爲義者也, 故總之曰'性命之理.' 六畫成卦, 則與三極之道相似, 其於天地之道, 人性之德也, 不亦和順矣乎? 六位成章, 則陰陽·剛柔·仁義之用不窮, 其於事物之宜也, 不亦曲盡其理矣乎?

윗 장은 역(易)의 도를 총괄해서 논했고, 이 장 이하는 오로지 괘를 밝혔다. 윗 장에서 '음양에 변(變)하는 것을 보아 괘를 세우며 도덕에 순응하고 의(義)에 알맞게 한다'라고 말했는데, 이 장은 바로 그 취지를 펼친 것이다. 성(性)은 곧 덕이고, 명(命)은 곧 도이다. 성명이 사물에 유행하는 것을 리(理)로 명명함은 곧 도덕이 산재하여 의(義)가 된다는 뜻이기 때문에 총괄해서 '성명의 리(理)'라고 말했다. 여섯 번 그어서 괘를 이루었다는 것은 삼극(三極 : 三才)의 도와 서로 비슷하니, 그것이 하늘과 땅의 도 및 사람의 성(性)의 덕에 대해 또한 순응하지 않겠는가? 여섯 개의 자리에 문장(文章)을 이룬다는 것은 음양·강유·인의의 쓰임이 끊이지 않으니, 그것이 사물의 마땅함에 대해 또한 그 리(理)를 곡진히 하지 않겠는가?

又案

‘兼三才而兩之’, 及‘分陰分陽’, ‘迭用柔剛’三句, 先儒皆就易上說, 細玩文義, 當且就造化上說. ‘兼’字·‘分’字·‘用’字, 皆不是著力字, 言合三才之道而皆兩. 此易所以六畫成卦也. 三才之道, 既以相對而分, 又以更迭而用, 此易所以六位成章也. 如此, 方於‘故易’兩字語氣相合. 蔡氏說極貼.

‘삼재(三才)를 겸하여 두 번씩 했다’, ‘음(陰)으로 나뉘고 양(陽)으로 나뉜다’, ‘유(柔)와 강(剛)을 번갈아 썼다’라고 한 세 구절에 대해 선배 학자들은 모두 역(易) 측면에서 말했는데, 문장의 의미를 자세히 완미해 보면 또한 조화(造化)의 측면에서 말해야 한다. ‘겸한다’와 ‘나눈다’와 ‘쓴다’라는 낱말은 모두 노력해야 할 것이 아니니, 삼재의 도를 합하여 모두 둘 씩 한다는 것을 말한다. 이것은 역(易)이 여섯 번 그어서 괘를 이루는 까닭이다. 삼재의 도가 이미 서로 짝하여 나누어지고 또 번갈아 가면서 쓴다는 것은 역(易)이 여섯 개의 자리에 문장(文章)을 이루는 까닭이다. 이와 같이 해야 비로소 ‘그러므로 역(易)은’이라는 말의 어세와 서로 합치된다. 채씨(蔡氏 : 蔡淸)의 설명이 매우 적절하다.

설괘 3

[설괘 3-1]

> 天地定位, 山澤通氣, 雷風相薄, 水火不相射, 八卦
> 相錯.
>
> 하늘과 땅이 제 자리를 잡고, 산과 못이 기(氣)를 통하며, 우레와
> 바람이 서로 치고, 물과 불이 서로 해치지 않아,[1] 8괘가 서로 섞인다.

----

1) 물과 불이 서로 해치지 않아: 『주자어류』 권77, 42조목에서, "물었다.
"射'는 음이 '석(石)'이라고도 하고, 음이 '역(亦)'이라고도 하는데 어느
것이 옳습니까?' (주자가) 대답했다. '음은 '석'이다. 물과 불은 풍뢰산택
과는 무리를 이루지 못해 본래 서로 상극인 사물인데 지금은 오히려 상
응하여 서로 해치지 않는다.' 물었다. '만약 서로 싫어하거나 해치지 않는
다는 것을 가지고 말한다면 위의 글의 '기운이 통한다'·'서로 부딪친다'는
글과 서로 무리를 이루니 어떻게 되는지 모르겠습니다?' (주자가) 대답했
다. "불상석'은 곧 아래에 나오는 문장인 '서로 어그러지지 않는다'는 뜻
이며, '서로 어그러지지 않는다'는 것은 곧 서로 해치지 않는 것이다. 물
과 불은 원래 서로 해치는 것이니 아직 구하지 않은 물과 불은 또한 중간
에 떼어놓는 것이 있어야 하며, 떼어놓는 것이 없다면 서로 해치게 된다.
이것이 곧 해치지 않음으로써 그 상응하는 것을 밝히는 것이다.'問："
'射', 或音'石', 或音'亦', 孰是?" 曰："音'石'. 水火與風雷·山澤不相類,
本是相剋底物事, 今卻相應而不相害." 問："若以不相厭射而言, 則與

本義

邵子曰：“此伏羲八卦之位, 乾南坤北, 離東坎西, 兌居東南,
震居東北, 巽居西南, 艮居西北, 於是八卦相交而咸六十四
卦, 所謂先天之學也.”

소자(邵子 : 邵雍)가 말했다. “이는 복희 8괘의 자리이니, 건(乾)은
남쪽에 있고 곤(坤)은 북쪽에 있으며, 이(離)는 동쪽에 있고 감(坎)
은 서쪽에 있으며, 태(兌)는 동남(東南)쪽에 자리 잡고 진(震)은 동
북(東北)쪽에 자리 잡으며, 손(巽)은 서남(西南)쪽에 자리 잡고 간
(艮)은 서북(西北)쪽에 자리 잡았다. 이에 8괘가 서로 교류하여 64
괘를 이루었으니, 이른바 선천(先天)의 학문이다.”

集說

● 孔氏穎達曰：“此一節就卦象明重卦之意. 若使天地不交, 水
火異處, 則庶類無生成之用, 品物無變化之理, 故云天地定位而
合德, 山澤異體而通氣, 雷風各動而相薄, 水火不相入而相資.
八卦之用, 變化如此, 故聖人重卦, 令八卦相錯, 乾·坤·震·巽·
坎·離·艮·兌, 莫不交互, 以象天·地·雷·風·水·火·山·澤,
莫不交錯, 則易之爻卦與天地等, 性命之理,[2] 吉凶之數, 既往之

上文‘通氣’·‘相薄’之文相類, 不知如何?” 曰：“‘不相射’, 乃下文‘不相悖’
之意, ‘不相悖’, 乃不相害也. 水火本相害之物, 便如未濟之水火, 亦是
中間有物隔之; 若無物隔之, 則相害矣. 此乃以其不害, 而明其相應也.”
라고 하였다.

2) 性命之理 : 공영달 소(孔穎達 疏),『주역주소(周易註疏)』권13에는 “成
性命之理[성명(性命)의 리(理)를 이룬다]”라고 되어 있다.

事, 將來之幾, 備在爻卦之中矣."3)

공영달(孔穎達)이 말했다. "이 구절은 괘의 형상에서 괘를 중첩한
뜻을 밝혔다. 만약 하늘과 땅이 교류하지 않아 물과 불이 처한 곳
을 달리하면 만물은 생성하는 작용이 없고 모든 것이 변화하는 이
치가 없기 때문에 하늘과 땅이 제 자리를 잡아서 덕을 합치고, 산
과 못이 몸체가 다르지만 기(氣)를 통하며, 우레와 바람이 각각 움
직이지만 서로 치고, 물과 불이 서로 들어가지는 않지만 서로 의뢰
한다고 말했다. 8괘의 작용에 변화가 이와 같기 때문에 성인이 괘
를 중첩해서 8괘가 서로 착종하도록 하여, 건·곤·진·손·감·리·
간·태괘가 서로 교체하지 않음이 없는 것으로 하늘·땅·우뢰·바
람·물·불·산·못이 교착하지 않음이 없는 것을 형상하였으니, 역
(易)의 효·괘와 하늘·땅 등이 성명(性命)의 리(理)와 길흉의 수
(數)를 이루어, 이미 지나간 일과 앞으로 닥쳐올 기미가 효와 괘 가
운데 갖추어졌다."

● 項氏安世曰 : "八卦雖八, 實則'陰陽'二字而已. 是故位雖定而
氣則通, 勢雖相薄而情不厭, 明本一物也."4)

항안세(項安世)가 말했다. "8괘는 8개지만 실제로는 '음양' 두 개일
뿐이다. 이 때문에 자리가 비록 정해졌지만 기(氣)가 통하고, 형세
가 비록 서로 다투지만 정(情)은 싫어하지 않으니 본래 한 가지임
을 밝혔다."

....

3) 공영달 소(孔穎達 疏), 『주역주소(周易註疏)』 권13.
4) 항안세(項安世), 『주역완사(周易玩辭)』 권15.

● 龔氏煥曰 : "'定位'以體言, '通氣'·'相薄'·'不相射'以用言. 天地, 乾坤之定體, 水火, 乾坤之大用. 山澤之氣, 卽水之氣; 雷風之氣, 卽火之氣; 而水火之氣, 又天地之氣也."[5]

공환(龔煥)이 말했다. "'제 자리를 잡았다'는 몸체로 말한 것이고, '기(氣)를 통하고' '서로 치며' '서로 해치지 않는다'는 것은 작용으로 말하였다. 하늘과 땅은 건·곤의 정해진 몸체이고 물과 불은 건·곤의 큰 작용이다. 산과 못의 기(氣)는 바로 물의 기이고, 우레와 바람의 기는 바로 불의 기이다. 그렇지만 물과 불의 기는 또 하늘과 땅의 기이다."

---

5) 웅량보(熊良輔), 『주역본의집성(周易本義集成)』 권10에 공환(龔煥)의 말로 기록되어 있다.

> 數往者順, 知來者逆, 是故『易』逆數也.
> 지나간 것을 헤아리는 일은 '순응함[順]'이고 올 것을 아는 일은 '예측함[逆]'이다. 그러므로 『역』은 예측해서 헤아리는 일이다.

本義

起震而曆離·兌, 以至於乾, 數已生之卦也; 自巽而曆坎·艮, 以至於神, 推未生之卦也. 易之生卦, 則以乾·兌·離·震·巽·坎·艮·坤爲次, 故皆逆數也.

진(震)괘에서 시작하여 이(離)괘·태(兌)괘를 거쳐 건(乾)괘에 이르는 것은 이미 생겨난 괘를 세는 일이고, 손(巽)괘에서 감(坎)괘·간(艮)괘를 거쳐 곤(坤)괘에 이르는 것은 아직 생겨나지 않은 괘를 미루어 보는 일이다. 역(易)이 괘를 낳음은 건(乾)·태(兌)·리(離)·진(震)·손(巽)·감(坎)·간(艮)·곤(坤)으로 차례를 삼았기 때문에 모두 예측해서 헤아리는 일이다.

此第三章.

이는 제3장이다.

● 『朱子語類』云 : 「「先天圖」曲折, 細詳圖意, 若自乾一橫排至坤八, 此則全是自然. 故「說卦」云『易』逆數也.’ 若如「圓圖」, 則須如此, 方見陰陽消長次第. 雖似稍涉安排, 然亦莫非自然之理. 自冬至至夏至爲順, 蓋與前逆數若相反; 自夏至至冬至爲逆, 蓋與前逆數者同. 其左右與今天文家說左右不同, 蓋從中而分, 其初若有左右之勢爾.”[6]

『주자어류』에서 말했다. “「선천도」의 복잡한 내용은 도표의 뜻에 자세히 설명되어 있는데, 만약 건일(乾一)에서 곤팔(坤八)에 이르기까지 가로로 배열하면 이는 완전히 저절로 그러한 것이다. 그러므로 「설괘전」에서 ‘『역』은 예측해서 헤아리는 일이다’라고 말했다. 만약 「원도(圓圖)」 같으면 반드시 이와 같아야 비로소 음양이 소장하는 차례를 볼 수 있다. 비록 조금은 안배한 것 같지만, 또한 저절로 그러한 이치가 아님이 없다. 동지에서 하지에 이르는 것을 순응함으로 삼는 것은 앞의 예측해서 헤아리는 일과 상반된다. 하지에서 동지에 이르는 것을 예측해서 헤아림으로 삼는 것은 앞의 예측해서 헤아리는 일과 같다. 그 왼쪽으로 도는 것과 오른쪽으로 도는 것은 요즘 천문가가 말하는 왼쪽·오른쪽과 같지 않으니, 중앙에서 나누어 그 처음에 마치 왼쪽·오른쪽의 형세가 있는 것 같기 때문일 뿐이다.”

● 陳氏埴曰 : “『易』本‘逆數’也. 有一便有二, 有二便有四, 有四便有十六, 以至於六十四, 皆由此可以知彼, 由今可以知來. 故

---

6) 주희, 『주자어류』 권65, 61조목.

自乾一以至於坤八, 皆循序而生, 一如「橫圖」之次. 今欲以「圓圖」象渾天之形, 若一依此序, 則乾坤相並, 寒暑不分. 故伏羲以乾・坤定上下之位, 坎・離列左右之門, 艮・兌・震・巽, 皆相對而立, 悉以陰陽相配.

진식(陳埴)[7]이 말했다. "『역』은 '예측해서 헤아리는 일'을 근본으로 한다. 하나가 있으면 곧 둘이 있고, 둘이 있으면 곧 넷이 있으며, 넷이 있으면 곧 16이 있어 64에까지 이르는 것은 모두 이것으로 말미암아 저것을 알 수 있으며 현재로부터 말미암아 미래를 알 수 있다. 그러므로 건1(乾一)에서 곤8(坤八)까지 이르는 것은 모두 순서에 따라 생겨나니, 「횡도(橫圖)」의 차례와 똑 같다. 지금 「원도(圓圖)」로 혼천(渾天)의 형태를 형상하려고 하여 만약 한결 같이 이 차례에 의지한다면 건과 곤이 나란히 배열되고 추위와 더위가 나누어지지 않는다. 그러므로 복희씨는 건・곤을 상하의 자리로 정하고, 감・리를 좌우의 문으로 벌려 놓았으며, 간・태・진・손은 모두 서로 짝하여 세워 남김없이 음・양을 서로 짝지었다.

自一陽始生, 起冬至節, 歷離・兌之間爲春分, 以至於乾爲純陽, 是進而得其已生之卦. 如今日復數昨日, 故曰'數往者順.' 自一陰始生, 起夏至節, 歷坎・艮之間爲秋分, 以至於坤爲純陰, 是進而推其未生之卦, 如今日逆計來日. 故曰'知來者逆.' 然本易之

---

7) 진식(陳埴) : 자는 기지(器之)이고, 호는 목종(木鐘)이며, 세칭 잠실선생(潛室先生)이라 하였다. 송대 영가(永嘉 : 현 절강성 온주〈溫州〉) 사람으로 통직랑(通直郎)을 역임하였다. 어려서는 섭적(葉適)에게 배우고 나중에는 주희에게서 배웠다. 저서는 『목종집(木鐘集)』, 『우공변(禹貢辨)』, 『홍범해(洪範解)』 등이 있다.

所成, 只是自乾一而坤八, 如「橫圖」之序, 與「圓圖」之右方而已,
故曰『易』逆數也.'"8)

하나의 양(陽)이 처음 생겨나는 동지에서부터 시작하여 리(離)·태
(兌)의 사이를 거쳐 춘분이 되고, 건(乾)에 이르러 순수한 양이 되
는 것은 나아가 이미 생겨난 괘를 얻는 것이다. 예컨대 오늘 어제
를 돌이켜 헤아리는 일과 같기 때문에 '지나간 것을 헤아리는 일은
순응하는 것이다'라고 하였다. 하나의 음(陰)이 처음 생겨나는 하지
에서 시작하여 감(坎)·간(艮)의 사이를 거쳐 추분이 되고, 곤(坤)에
이르러 순수한 음이 되는 것은 나아가 아직 생겨나지 않은 괘를 미
루어 보는 것이다. 예컨대 오늘 내일을 예측해 보는 것과 같기 때
문에 '올 것을 아는 일은 예측하는 것이다'라고 하였다. 그러나 본
래 역이 이루어진 것은 다만 건1(乾一)에서 곤8(坤八)까지가 마치
「횡도」의 차례와 「원도」의 오른편과 같은 것을 뿐이니, 그 때문에
'『역』은 예측해서 헤아리는 일이다'라고 하였다."

● 胡氏炳文曰; "諸儒訓釋, 皆謂已往而易見爲順, 未來而前知
爲逆. 『易』主於前民用, 故曰『易』逆數也.' 唯『本義』依邵子, 以
'數往者順'一段爲指「圓圖」, 而言卦氣之所以行; '『易』逆數'一段
爲指「橫圖」, 而言卦畫之所以生. 非『本義』發邵子之蘊, 則學者
孰知此所謂先天之學哉?"9)

호병문(胡炳文)이 말했다. "여러 학자들이 해석한 것은 모두 이미
지나가서 쉽게 알 수 있는 일을 순조롭다[順]고 하고, 앞으로 올 것

---

8) 진식(陳埴), 『목종집(木鍾集)』 권4.
9) 호병문(胡炳文), 『주역본의통석(周易本義通釋)』 권8.

을 미리 아는 일을 거스른다[逆]고 하여, 『역』은 백성들이 사용하기 전에 앞서 열어주는 것을 위주로 하기 때문에 『역』은 수를 거스르는 일이다'라고 말했다. 오직 『주역본의』만 소자(邵子：邵雍)의 학설에 의거하여 '지나간 것을 헤아리는 일은 순응함[順]이다'라는 단락을 「원도(圓圖)」를 가리킨다고 하고, 괘기(卦氣)가 그것으로 운행하는 것이라고 말했으며, '『역』은 예측해서 헤아리는 일이다'라는 단락을 「횡도(橫圖)」를 가리킨다고 하고, 괘획(卦畫)이 그것으로 생겨나는 것이라고 말했다. 『주역본의』에서 소자의 깊은 의미를 발휘하지 않았다면 배우는 자들은 누구인들 이것이 이른바 선천의 학문임을 알았겠는가?"

案

此節順·逆之義, 朱子之意如此, 然與邵子本意, 各成一說. 蓋邵子本意, 以三陰三陽, 追數至一陰一陽處爲順, 自一陰一陽, 漸推至三陰三陽處爲逆. 朱子則謂左方四卦數已生者爲順, 右方四卦推未生者爲逆. 兩說可並存, 而邵子之說, 於此兩章文義, 尤爲貫串.

이 구절에서 '순응하는 일[順]'과 '예측하는 일[逆]'의 의미에 대해 주자의 뜻이 이와 같지만 소자(邵子：邵雍)의 본래 뜻과는 각각 하나의 주장을 이룬다. 소옹의 본래 뜻은 3개의 음과 3개의 양을 가지고 거슬러 세어 하나의 음과 하나의 양에 이르는 것을 순(順：순조롭다)으로 보았고, 하나의 음과 하나의 양에서 점차적으로 미루어 3개의 음과 3개의 양에 이르는 것을 역(逆：거스른다)으로 보았다. 주자의 주장은 왼쪽 4개의 괘(건·태·리·진괘)가 이미 생겨난 것을 세는 것이 '순응하는 일[順]'이 되고, 오른쪽 4개의 괘(손·감·간

· 곤괘)가 아직 생겨나지 않은 것을 미루는 것이 '예측하는 일[逆]'이
된다고 말했다. 두 주장이 병존할 수 있지만 소옹의 주장이 이 두
장(章)의 글의 뜻에 대해 더욱 일관적이다.

'天地定位'一節, 自乾·坤說到震·巽, 是'數往'也. '雷以動之'一
節, 自震·巽說到乾·坤, 是'知來'也. 此三句, 是承上節以起下
節, 言圖象數往則順, 知來則逆. 如上節所列是順數, 順數者尊
乾坤次六子也. 若建圖之意, 則欲見陰陽之運行, 功用之先後,
所重在逆數, 如下節所推也. 諸說之詳, 備『啓蒙』中.

'하늘과 땅이 제 자리를 잡았다'라는 구절은 건·곤으로부터 진·손
에 이르기까지를 말하니 '지나간 것을 헤아리는 일'이다. 다음 장의
'우레로 만물을 진동시킨다'라는 구절은 진·손으로부터 건·곤에
이르기까지를 말하니 '올 것을 아는 일'이다. 이 세 마디 말은 위
구절을 받들어 아래 구절을 일으키는 것이니, 도(圖)의 모습에서
지나간 것을 세는 일이 순(順)이고 올 일을 아는 것이 역(逆)이라는
것을 말한다. 예컨대 위 구절에서 나열한 것은 순조롭게 세는 일이
니, 순조롭게 세는 일은 건·곤을 높이고 '여섯 자식[六子]'[10]을 그
다음으로 보는 것이다. 만약 도(圖)를 그린 뜻이라면 음양의 운행
과 그 공용의 선후를 보려고 한 것이므로 중요한 것은 거슬러 세는
일이니, 예컨대 아래 구절에서 미루어 본 것과 같다. 여러 상세한
주장은 『역학계몽』에 갖추어져 있다.

---

10) '여섯 자식[六子]': 소성괘 8괘 가운데 건·곤을 뺀 나머지 여섯 괘, 즉
   진(震 : 장남), 손(巽 : 장녀), 감(坎 : 중남), 리(離 : 중녀), 간(艮 : 소남),
   태(兌 : 소녀)를 가리킨다.

설괘 4

[설괘 4-1]

> 雷以動之, 風以散之, 雨以潤之, 日以晅之, 艮以止
> 之, 兌以說之, 乾以君之, 坤以藏之.

우레로 만물을 진동시키고, 바람으로 만물을 흩트리며, 비로 만물을
적시고, 해로 만물을 건조시키며, 간(艮 : 산)으로 만물을 멈추게 하
고, 태(兌 : 못)로 만물을 기쁘게 하며, 건(乾 : 하늘)으로 만물에 군림
하고, 곤(坤 : 땅)으로 만물을 저장한다.

本義

此卦位相對, 與上章同.

이는 괘의 자리를 서로 짝지은 것이니, 윗 장(章)과 같다.

此第四章.

이는 제4장이다.

● 孔氏穎達曰 : "上四舉象, 下四舉卦者, 王肅云, '互相備也.'"[1]

공영달(孔穎達)이 말했다. "위의 넷은 상(象)을 제시하고 아래 넷은
괘를 제시한 것에 대해 왕숙(王肅)은 '상호간에 잘 갖추었다'고 말
했다."

● 張子曰 : "陰性凝聚, 陽性發散; 陰聚之, 陽必散之, 其勢均散.
陽爲陰累, 則相持爲雨而降; 陰爲陽得, 則飄揚爲雲而升. 故雲
物班布太虛者, 陰爲風驅, 斂聚而未散者也. 凡陰氣凝聚, 陽在
內者不得出, 則奮擊而爲雷霆; 陽在外者不得入, 則周旋不舍而
爲風. 其聚有遠近·虛實, 故雷風有大小·暴緩. 和而散, 則爲霜
雪雨露; 不和而散, 則爲戾氣曀霾. 陰常散緩, 受交於陽, 則風雨
調, 寒暑正."[2]

장자(張子 : 張載)가 말했다. "음의 성질은 응취하고 양의 성질은 발
산하니, 음이 모으면 양은 반드시 흩트리는데, 그 기세는 모두 흩트
리고 만다. 양이 음의 방해를 받으면 서로 맞서서 비가 되어 내리
고, 음이 양의 도움을 얻으면 휘날려서 구름이 되어 오른다. 그러
므로 구름이 태허에 분포된 것은 음이 바람에 몰려서 모여 흩어지
지 않는 것이다. 음기가 응취할 때 안에 있는 양이 나오지 못하면
격렬하게 부딪쳐 우레와 천둥소리가 되고, 밖에 있는 양이 들어가
지 못하면 빙빙 돌며 자리 잡지 못해서 바람이 된다. 그 모임에 멀
고 가까움, 허술함과 단단함이 있으므로 우레와 바람에 크기와 속

---

1) 공영달 소(孔穎達 疏), 『주역주소(周易註疏)』 권13.
2) 장재(張載), 『정몽(正蒙)』 제2, 「삼량편(參兩篇)」.

도의 차이가 있다. 조화롭게 흩어지면 서리와 눈과 비와 이슬이 되고, 조화롭지 않게 흩어지면 사나운 기와 음산한 흙비[3]가 된다. 음은 흩어짐이 늦으니 양기와 교류하면 바람과 비가 조화롭게 되고 추위와 더위도 정상적으로 된다."

● 朱氏震曰：“前說乾坤以至六子, 此說六子而歸乾坤. 終始循環, 不見首尾, 易之道也.”[4]

주진(朱震)이 말했다. "앞에서는 건곤을 말하여 '여섯 자식[六子]'[5]에 까지 이르고 여기에서는 여섯 자식을 말하여 건곤에 귀결하였다. 시작과 끝이 순환하여 머리와 꼬리가 보이지 않는 것이 역(易)의 도(道)이다."

....

3) 음산한 흙비 : 『시경』「국풍(國風)·패풍(邶風)·종풍(終風)」의 다음과 같은 내용 가운데 일부를 인용한 것이다. "종일 바람이 불고 또 맹렬한데, 나를 돌아보면 웃을 때도 있구나. 희롱과 방탕과 비웃음과 오만함이니, 마음이 서럽구나. 종일 바람이 불고 또 흙비가 내리는데, 순하게 즐겨 오는구나. 가지도 않고 오지도 않는데, 근심만 오래도록 이어지는 나의 생각이로다. 종일 바람이 불고 또 음산한데, 하루도 안 되어 어두워지는구나. 잠에서 깨어 잠을 이루지 못하는데, 말을 하고자 하면 재채기만 나오네. 음산하고 음산한 구름과 으르렁 으르렁하는 우레로다. 잠에서 깨어 잠을 이루지 못하는데, 말하고자 하면 생각만 나오네."(終風且暴, 顧我則笑. 謔浪笑敖, 中心是悼. 終風且霾, 惠然肯來. 莫往莫來, 悠悠我思. 終風且曀, 不日有曀. 寤言不寐, 願言則嚏. 曀曀其陰, 虺虺其雷. 寤言不寐, 願言則懷.)
4) 주진(朱震), 『한상역전(漢上易傳)』 권9.
5) '여섯 자식[六子]' : 소성괘 8괘 가운데 건·곤을 뺀 나머지 여섯 괘, 즉 진(震 : 장남), 손(巽 : 장녀), 감(坎 : 중남), 리(離 : 중녀), 간(艮 : 소남), 태(兌 : 소녀)를 가리킨다.

● 『朱子語類』云 : "‘雷以動之'以下四句, 取象義多, 故以象言. "艮以止之'以下四句, 取卦義多, 故以卦言."6)

『주자어류』에서 말했다. "‘우레로 만물을 진동시키고' 아래의 네 구절은 상(象)의 의미를 취한 것이 많기 때문에 상을 가지고 말했다. ‘간(艮 : 산)으로 만물을 멈추게 하고' 아래의 네 구절은 괘의 의미를 취한 것이 많기 때문에 괘를 가지고 말했다."

● 項氏安世曰 : "自‘天地定位'至‘八卦相錯', 言先天之順象也. 自‘雷以動之'至‘坤以藏之', 言先天之逆象也."7)

항안세(項安世)가 말했다. "‘하늘과 땅이 제 자리를 잡고'에서 ‘8괘가 서로 섞인다'까지는 선천(先天)의 순조로운 모습을 말했고, ‘우레로 만물을 진동시키고'에서 ‘곤(坤 : 땅)으로 만물을 저장한다'까지는 선천의 거스르는 모습을 말했다."

● 胡氏炳文曰 : "此章卦位相對與上章同. 特上章先之以乾坤, 此章則終之以乾坤也."8)

호병문(胡炳文)이 말했다. "이 장은 괘의 자리가 서로 짝을 이루는 것이 윗 장과 같다. 다만 윗 장은 건·곤을 먼저 말했고, 이 장은 건·곤을 끝에 말했을 뿐이다."

---

6) 주희, 『주자어류』 권77, 45조목.
7) 항안세(項安世), 『주역완사(周易玩辭)』 권15.
8) 호병문(胡炳文), 『주역본의통석(周易本義通釋)』 권8.

● 金氏賁亨曰：“上章以天地居首，序尊卑也；此章以乾坤居後，總成功也．上以體言，此以功用言也．”[9]

김분형(金賁亨)이 말했다. “윗 장은 하늘과 땅을 첫 머리에 자리 잡게 하여 존귀함과 비천함을 차례지었고, 이 장은 건·곤을 뒤에 자리 잡게 하여 공로를 이룬 것을 총괄하였다. 윗 장은 체(體)로 말했고 이 장은 공용으로 말했다.”

● 吳氏曰愼曰：“前章始乾·坤終坎·離，此章始震·巽終乾·坤．首乾者其重在乾，首震者其重在震．二章雖皆明先天卦序，而後天始震之義，亦具其中矣．”

오왈신(吳曰愼)이 말했다. “앞 장은 건·곤으로 시작하여 감(坎)·리(離)로 끝나고, 이 장은 진(震)·손(巽)으로 시작하여 건·곤으로 끝났다. 건을 첫머리에 두는 것은 그 중점이 건에 있고, 진(震)을 첫머리에 두는 것은 그 중점이 진에 있다. 두 장은 비록 모두 선천(先天) 괘의 차례를 밝혔지만, 후천(後天)의 진(震)으로 시작하는 의미도 또한 그 가운데 갖추었다.”

案

此上二章，明伏羲卦位也．天地萬物之理，交易·變易焉，盡之矣．‘定位’·‘通氣’·‘相薄’·‘不相射’，以至於‘相錯’，所謂交易者也．‘動’·‘散’·‘潤’·‘晅’·‘止’·‘說’，以統於‘君·藏’，所謂變易者也．

---

9) 진조념(陳祖念), 『역용(易類)』 권6에 김분형(金賁亨)의 말로 기재되어 있다.

이 위의 두 장(章)은 복희씨의 괘 자리를 밝혔다. 천지 만물의 이치는 교역(交易)과 변역(變易)이면 다 할 수 있다. '제 자리를 잡고' '기(氣)를 통하며' '서로 치고' '서로 해치지 않아' '서로 섞이는' 데 이름은 이른바 교역하는 것이다. '진동시키고' '흩트리며' '적시게 하고' '건조시키며' '멈추게 하고' '기쁘게 하여' '군림하고 저장하는' 것을 통괄함은 이른바 변역하는 것이다.

'定位'·'通氣'·'相薄'·'不相射', 卽「繫傳」首章所謂'相摩'者也. '八卦相錯', 卽「繫傳」首章所謂'相蕩'者也. 左方震·離, 所謂'鼓之以雷霆'; 右方巽·坎, 所謂'潤之以風雨.' 兌以說物, 艮以止物, 所謂'一寒一暑'; 乾以君主, 坤以藏載, 所謂'乾道成男而知大始', '坤道成女而作成物'也.

'제 자리를 잡고' '기(氣)를 통하며' '서로 치고' '서로 해치지 않는' 것은 바로 「계사전」 첫 장의 이른바 '서로 마찰하는' 것이다. ' 8괘가 서로 섞인다'는 것은 「계사전」 첫 장의 이른바 '서로 요동치며 이동한다'는 뜻이다. 왼쪽의 진(震)과 리(離)는 이른바 '우레와 번개로 고무시키는' 것이고, 오른쪽의 손(巽)과 감(坎)은 이른바 '바람과 비로 적셔준다'는 것이다. 태(兌 : 못)로 만물을 기쁘게 하고 간(艮 : 산)으로 만물을 멈추게 하는 것은 이른바 '한 번 춥고 한 번 더운' 것이다. 건이 군주로서 주관하는 것과 곤이 저장하여 싣는 것은 이른바 '건도(乾道)가 남성을 이루어 큰 시작을 주관하고' '곤도(坤道)가 여성을 이루어 사물을 이루어 낸다'는 뜻이다.

中間以順·逆爲說者, 指明卦序也. 先言天地以及六子, 體之序也. 於圖位爲數往, 其理則「繫傳」天尊地卑, 終之以象形者也.

先言六子以及天地, 用之序也. 於圖位爲知來, 其理則「繫傳」雷
霆風雨, 終之以乾坤者也. 圖意取用之序, 邵子謂此一節直解圖
意者, 是也. 然非體則無以立本, 故『易』雖主於逆數, 而必以順
數先之.

중간에 '순응하는 일[順]'과 '예측하는 일[逆]'로 말한 것은 괘의 순서
를 밝히는 것을 가리킨다. 먼저 하늘과 땅을 말하고 여섯 자식에
미친 것은 체(體)의 차례이다. 「원도(圓圖)」의 자리에서 지나간 것
을 헤아리는 것이 되고, 그 이치는 「계사전」의 하늘은 높고 땅은
낮은 것이니 모습과 형태로 끝맺었다. 먼저 여섯 자식을 말하고 하
늘과 땅에 미친 것은 작용의 차례이다. 「원도」의 자리에서 올 것을
아는 것이 되고 그 이치는 「계사전」의 우레와 번개로 고무시키고
바람과 비로 적셔주는 것이니 건과 곤으로 끝맺었다. 「원도」의 뜻
과 취해서 쓴 것의 순서에 대해 소자(邵子 : 邵雍)는 이 구절은 「원
도」의 뜻을 직접 풀이한 것이라고 한 말이 이것이다. 그러나 체(體)
가 아니면 그 어떤 것으로도 근본을 세울 수 없기 때문에 『역』은
비록 예측해서 헤아리는 일을 위주로 하지만 반드시 순응하여 헤아
리는 일을 먼저 하였다.

又案

艮·兌不言山·澤, 則是指氣言也. 暑氣溫熱發生, 故曰'兌以說
之'; 寒氣嚴凝收斂, 故曰'艮以止之.'「上傳」於雷霆風雨之下, 亦
曰'一寒一暑', 而不言山·澤也. 若雷以動積寒之氣, 而日以晅之,
風以散積暑之氣, 而雨以潤之, 則於卦象皆切. 乾君坤藏, 亦主
大夏大冬而言. 大夏如下章所云'萬物皆相見', '向明而治', 是君
之也; 大冬如下章所云'萬物之所歸', 是藏之也.

간(艮)과 태(兌)에 대해 산과 못을 말하지 않은 것은 기(氣)를 가리켜 말한 것이다. 더운 기가 온화하여 발생하기 때문에 '태(兌:못)로 만물을 기쁘게 한다'고 말했으며, 차가운 기가 매우 추워 수렴하기 때문에 '간(艮:산)으로 만물을 멈추게 한다'라고 말했다. 「계사상전」([계사상 1-3])은 우레와 번개 바람과 비 아래에 또한 '한 번 춥고 한 번 덥다'라고 말했지 산과 못을 말하지 않았다. 만약 우레로 누적된 차가운 기(氣)를 진동시키고 해로 그것을 건조시키며, 바람으로 누적된 더운 기를 흩트리고 비로 그것을 적시게 한다고 하면, 괘의 모습에 더욱 절실할 것이다. 건이 군주로 주관하고 곤이 저장하는 것도 또한 여름과 겨울을 위주로 말하였다. 여름에 예컨대 아래 장에서 말하듯이 '만물이 모두 서로 보고' '밝은 곳을 향해 다스린다'라고 한 것은 군주로 주관하는 것이며, 겨울에 예컨대 아래 장에서 말하듯이 '만물이 귀결하는 곳이다'라고 한 말은 저장하는 것이다.

[설괘 5-1]

> 帝出乎震, 齊乎巽, 相見乎離, 致役乎坤, 說言乎
> 兌, 戰乎乾, 勞乎坎, 成言乎艮.
>
> 천제가 진(震☳)괘에서 나와 손(巽☴)괘에서 가지런하며 리(離☲)괘
> 에서 서로 보고 곤(坤☷)괘에서 일을 다하며 태(兌☱)괘에서 기뻐하
> 고 건(乾☰)괘에서 싸우며 감(坎☵)괘에서 수고롭고 간(艮☶)괘에서
> 이룬다.

本義

帝者天之主宰. 邵子曰 : "此卦位乃文王所定, 所謂後天之學
也."

천제는 하늘의 주재자이다. 소자(邵子 : 邵雍)가 말했다. "이 괘의
자리는 바로 문왕(文王)이 정한 것이니, 이른바 후천(後天)의 학문
이다."

● 程子曰 : "易八卦之位, 元不曾有人說. 先儒以爲乾位西北, 坤位西南, 乾坤任六子而自處於無爲之地, 此大故無義理. 雷·風·山·澤之類, 便是天地之用, 如人身之有耳目手足, 便是人之用也. 豈可謂手足耳目皆用, 而身無爲乎?"[1]

정자(程子 : 程顥·程頤)가 말했다. "역(易)의 8괘 위치에 대해 원래 어떤 사람도 말한 적이 없었다. 선대 학자들은 건이 서북쪽에 자리하고 곤이 서남쪽에 자리하여, 건·곤은 여섯 자식에게 맡기고 스스로는 무위(無爲)의 자리에 처한다고 여겼는데, 이러한 주장은 전혀 도리가 없다. 우레·바람·산·못과 같은 부류는 곧 천지의 작용이니, 예컨대 사람의 몸에 눈과 귀, 손과 발이 있어 곧 사람의 작용이 되는 것과 같다. 어찌 손과 발, 귀와 눈이 모두 작용하는데, 몸이 무위(無爲)라고 말할 수 있겠는가?"

● 何氏楷曰 : "三男震·坎·艮, 以次綱紀於始終; 三女巽·離·兌, 以次而處綱紀之內. 自東南至西皆陰, 自西北至東皆陽, 亦最齊整. 故坤·蹇彖辭, 有西南·東北之語."[2]

하해(何楷)가 말했다. "삼남(三男 : 세 아들)인 진(震)·감(坎)·간(艮)은 차례로 처음과 끝에 기강이 되고, 삼녀(三女 : 세 딸)인 손(巽)·리(離)·태(兌)는 차례로 그 기강 속에 처했다. 동남쪽에서 서쪽에 이르기까지는 모두 음이고 서북쪽에서 동쪽에 이르기까지는 모두 양인 것도 또한 가장 가지런하다. 그러므로 곤(坤䷁)괘와 건(蹇䷦)괘 단사에 서남·동북이라는 말이 있다."

---

1) 정호·정이, 『하남정씨유서(河南程氏遺書)』권18.
2) 하해(何楷), 『고주역정고(古周易訂詁)』권14.

萬物出乎震, 震, 東方也. 齊乎巽, 巽, 東南也. '齊'
也者, 言萬物之潔齊也. 離也者, 明也, 萬物皆相
見, 南方之卦也. 聖人南面而聽天下, 向明而治, 蓋
取諸此也. 坤也者, 地也, 萬物皆致養焉, 故曰'致役
乎坤.' 兌, 正秋也, 萬物之所說也, 故曰'說言乎兌.'
戰乎乾, 乾, 西北之卦也, 言陰陽相薄也. 坎者, 水
也, 正北方之卦也, 勞卦也, 萬物之所歸也, 故曰'勞
乎坎.' 艮, 東北之卦也, 萬物之所成終而所成始也,
故曰'成言乎艮.'

만물이 진괘에서 나오니 진괘는 동쪽이다. 손괘에서 가지런하니 손
괘는 동남쪽이다. '가지런하다'는 것은 만물이 깨끗하고 가지런함을
말한다. 리괘는 밝음이니, 만물이 모두 서로 보므로 남쪽의 괘이다.
성인이 남쪽을 바라보며 천하 사람들의 말을 듣고 밝은 곳을 향해
다스리는 것은 바로 여기에서 취하였다. 곤괘는 땅이니, 만물이 모두
여기에서 길러지므로 '곤괘에서 일을 다 한다.'고 했다. 태괘는 가을
이 한창이니, 만물이 기뻐하므로 '태괘에서 기뻐한다.'고 했다. 건괘
에서 싸운다는 것은, 건은 서북쪽의 괘이니 이는 음·양이 서로 부딪
힘을 말한다. 감괘는 물로 정북방의 괘이며 수고로운 괘로 만물이
귀결하는 곳이므로 '감괘에서 수고롭다.'고 했다. 간괘는 동북쪽의
괘이니, 만물이 여기에서 끝마치고 시작하므로 '간괘에서 이룬다.'고
했다.

本義

上言帝, 此言萬物之隨帝以出入也.

위에서는 천제(天帝)를 말하고 여기서는 만물이 천제를 따라 나오고 들어가는 것을 말했다.

此第五章. 所推卦位之說, 多未詳者.

이는 제5장이다. 이 장(章)에서 미루어 본 괘의 자리에 대한 말은 확실하지 않은 것이 많다.

集說

● 鄭氏康成曰 : "'萬物出乎震', 雷發聲以生之也. '齊乎巽', 風搖動以齊之也. '潔', 猶新也. '萬物皆相見', 日照之使光大. '萬物皆致養', 地氣含養, 使秀實也. '萬物之所說', 草木皆老, 猶以澤氣說成之.

정강성(鄭康成 : 鄭玄)이 말했다. "'만물이 진괘에서 나온다'는 것은 우레가 소리를 쳐서 그것을 낳는다는 뜻이다. '손괘에서 가지런하다'는 것은 바람이 요동쳐서 그것을 가지런하게 한다는 뜻이다. '깨끗하다'는 것은 새롭다는 말과 같다. '만물이 모두 서로 본다'는 것은 해가 그것을 비춰 광대하게 한다는 뜻이다. '만물이 모두 길러진다'는 것은 땅의 기가 포용하고 양육하여 꽃이 피고 열매를 맺도록 하는 뜻이다. '만물이 기뻐한다'는 것은 초목이 모두 오래되어 마치 못의 기(氣)로 그것을 이루는 것을 기뻐한다는 말과 같다.

'戰'言陰陽相薄. 西北陰也, 而乾以純陽臨之. 坎, 勞卦也. 水性
勞而不倦, 萬物之所歸也. 萬物自春出生於地, 冬氣閉藏, 還皆
入地. '萬物之所成終而所成始', 言萬物陰氣終, 陽氣始, 皆艮之
用事也."3)

'싸운다'는 것은 음과 양이 서로 부딪힘을 말한다. 서북쪽은 음이고
건괘가 순수한 양으로 거기에 임한다. 감괘는 수고로운 괘이다. 물
의 성질이 수고롭지만 게으르지 않으니, 만물이 귀결하는 곳이다.
만물은 본래 봄에 땅에서 생겨 나와 겨울의 기가 닫아 감추면 되돌
려서 모두 땅으로 들어간다. '만물이 여기에서 끝마치고 시작하게
된다'는 것은 만물이 음기가 끝나면 양기가 시작되는데, 이것이 모
두 간괘가 하는 일이라는 말이다."

● 程子曰 : "艮, 止也, 生也. 止則便生, 不止則不生. 此艮終始
萬物."4)

정자(程子 : 程顥·程頤)가 말했다. "간(艮)은 멈추는 것이고 생겨나
는 것이다. 멈추면 바로 생겨나고 멈추지 않으면 생겨나지 않는다.
이는 간(艮)이 만물을 시작하고 끝내는 것을 말한다."

● 又曰 : "冬至一陽生, 每遇至後則倍寒, 何也? 陰陽消長之際,
無截然斷絶之理, 故相攙掩過. 如天將曉, 復至陰黑, 亦是理也.
大抵終始萬物盛乎艮. 此盡神妙, 須硏窮此理."5)

----

3) 혜동(惠棟) 편, 『증보정씨주역(增補鄭氏周易)』 권 하(下).
4) 정호·정이, 『하남정씨유서(河南程氏遺書)』 권6.
5) 정호·정이, 『하남정씨유서(河南程氏遺書)』 권2 상(上).

(정자가) 또 말했다. "동지에 하나의 양이 생겨나는데 매양 동지가 지난 뒤에 더욱 추운 것은 무엇 때문인가? 음과 양이 줄어들고 불어날 때 자른 듯이 단절되는 이치가 없기 때문에 서로 섞여 덮는다. 예컨대 하늘이 막 동틀 때 다시 매우 어두운 것도 또한 이러한 이치이다. 대체로 만물을 끝내고 시작하는 것은 간괘에서 왕성하다. 이는 매우 신묘하니 반드시 이 이치를 깊이 연구해야 한다."

● 鄭氏樵曰: "乾居西北, 父道也. 父道尊嚴, 嚴凝之氣, 盛於西北. 西北者, 萬物成就之方也. 坤居西南, 母道也. 母道在養育萬物, 萬物之生, 盛於西南. 西南者, 萬物長養之方也. 坎·艮·震方位次於乾者, 乾統三男也, 巽·離·兌方位夾乎坤者, 坤統三女也. 西北盛陰用事, 而陰氣盛矣, 非至健莫能與爭, 故陰陽相薄, 曰'戰乎乾.' 而乾位焉, 戰勝則陽氣起矣."[6]

정초(鄭樵)[7]가 말했다. "건괘가 서북쪽에 자리 잡은 것은 아버지의 도(道)이다. 아버지의 도는 존엄하니, 엄숙하고 장중한 기가 서북쪽에서 융성하기 때문이다. 서북쪽은 만물이 성취하는 방향이다.

....

6) 심기원(沈起元), 『주역공의집설(周易孔義集說)』 권20에 정초(鄭樵)의 말로 기재되어 있다.

7) 정초(鄭樵, 1104~1162): 자는 어중(漁仲)이고 세칭 협제선생(夾漈先生)이라고 한다. 남송 흥화군(興化軍: 현 복건성) 보전(莆田) 사람이다. 송대 사학자, 목록학자로서 저술이 80여종이나 되었는데 현존하는 것은 『협제유고(夾漈遺稿)』, 『이아주(爾雅注)』, 『시변망(詩辨妄)』, 『6경오론(六經奧論)』, 『통지(通志)』 등이다. 특히 『통지』는 그의 대표작이다. 이 책은 그의 평생 저술의 핵심인 「이십략(二十略)」을 수록하고 있는데, 그 가운데 「곤충초목략(昆蟲草木略)」은 중국의 동식물에 관한 전문저술로 중요한 가치가 있다고 한다.

곤괘가 서남쪽에 자리 잡은 것은 어머니의 도이다. 어머니의 도는 만물을 양육하는 데 있으니, 만물이 생겨나는 것이 서남쪽에서 융성하다. 서남쪽은 만물이 성장하고 길러지는 방향이다. 감괘·간괘·진괘의 방위가 건괘 다음에 있는 것은 건(乾)이 세 아들을 통솔하기 때문이고, 손괘·리괘·태괘의 방위가 곤괘를 끼고 있는 것은 곤(坤)이 세 딸을 통솔하기 때문이다. 서북쪽은 음이 하는 일이 융성하여 음기가 성대하니, 지극히 굳건하지 않으면 그것과 싸울 수 없기 때문에 음과 양이 서로 부딪히는 것을 '건괘에서 싸운다'라고 하였다. 그러나 건(乾)괘가 그곳에 자리 잡고 있기 때문에 싸움에서 이기면 양기가 일어난다."

● 楊氏萬里曰 : "於帝言致役者, 蓋坤, 臣也, 帝, 君也, 君之於臣, 役之而已. 於萬物言致養者, 蓋坤, 母也, 萬物, 子也, 母之於子, 養之而已. 至於它卦不言戰而乾言戰, 乾, 西北之卦, 陰盛陽微之時, 陰疑於陽也. 不然, 則坤之上六, 何以言'龍戰於野.'"

양만리(楊萬里)가 말했다. "천제에 대해 일을 다 한다고 말한 것은 곤은 신하이고 천제는 군주이며 군주는 신하에게 일을 시킬 뿐이기 때문이다. 만물에 대해 길러진다고 말한 것은 곤은 어머니이고 만물은 자식이며 어머니는 자식에게 길러줄 뿐이기 때문이다. 다른 괘에서는 싸운다고 말하지 않고 건괘에서 싸운다고 말한 것은 건괘는 서북쪽의 괘이며 음이 융성하고 양이 은미할 때 음이 양과 대등하기 때문이다. 그렇지 않으면 곤의 상육효에서 어찌 '용이 들에서 싸운다'라고 말했겠는가?"

● 項氏安世曰 : "後天之序, 據太極旣分之後, 播五行於四時也.

震·巽二木主春, 故震在東方, 巽東南次之. 離火主夏, 故爲南方
之卦. 兌·乾二金主秋, 故兌爲正秋, 乾西北次之. 坎水主冬, 故
爲北方之卦. 土王四季, 故坤土在夏·秋之交, 爲西南方之卦; 艮
土在冬·春之交, 爲東北方之卦.

항안세(項安世)가 말했다. "후천(後天)의 차례는 태극이 이미 나누
어진 뒤에 사계절에 오행을 퍼뜨린 것에 의거한다. 진괘와 손괘 두
개의 목(木)은 봄을 위주로 하기 때문에 진괘는 동쪽에 있고 손괘
는 동남쪽으로 그 다음에 있다. 리괘인 화(火)는 여름을 위주로 하
기 때문에 남쪽의 괘가 된다. 태괘와 건괘 두 개의 금(金)은 가을을
위주로 하기 때문에 태괘는 한창 가을이 되고 건괘는 서북쪽으로
그 다음에 있다. 감괘인 수(水)는 겨울을 위주로 하기 때문에 북쪽
의 괘가 된다. 토(土)는 사계절에 왕성하기 때문에, 곤괘로서의 토
는 여름과 가을의 교체기에 있고 서남쪽의 괘가 되며, 간괘로서의
토는 겨울과 봄의 교체기에 있고 동북쪽의 괘가 된다.

木·金·土各二者, 以形王也; 水·火各一者, 以氣王也. 坤陰土,
故在陰地; 艮陽土, 故在陽地. 震陽木, 故正東; 巽陰木, 故近南
而接乎陰. 兌陰金, 故正西; 乾陽金, 故近北而接乎陽. 其序甚
明."8)

목·금·토가 각각 두 개씩인 것은 형(形)이 왕성하기 때문이고, 수
·화가 각각 하나씩인 것은 기(氣)가 왕성하기 때문이다. 곤은 음으
로서의 토이기 때문에 음의 영역에 있고, 간괘는 양으로서의 토이
기 때문에 양의 영역에 있다. 진괘는 양으로서의 목이기 때문에 정

8) 항안세(項安世), 『주역완사(周易玩辭)』 권15.

동쪽에 있고, 손괘는 음으로서의 목이기 때문에 남쪽 가까이에서 음과 접해 있다. 태괘는 음으로서의 금이기 때문에 정서쪽에 있고, 건괘는 양으로서의 금이기 때문에 북쪽 가까이에서 양과 접해 있다. 그 차례가 매우 분명하다."

● 徐氏幾曰 : "坎·離, 天地之大用也, 得乾·坤之中氣, 故離火居南, 坎水居北也. 震, 動也, 物生之初也, 故居東. 兌, 說也, 物成之後也, 故居西. 此四者各居正位也. 震屬木, 巽亦屬木; 震陽木也, 巽陰木也, 故巽居東南, 巳之位也. 兌屬金, 乾亦屬金; 兌陰金也, 乾陽金也, 故乾居西北, 亥之方也. 坤·艮皆土也, 坤陰土, 艮陽土, 坤居西南, 艮居東北者, 所以均王乎四時也. 此四者分居四隅也.

서기(徐幾)가 말했다. "감괘와 리괘는 하늘과 땅의 큰 작용이라 건·곤의 중화(中和)의 기를 얻었기 때문에 리괘인 화(火)는 남쪽에 자리 잡고, 감괘인 수(水)는 북쪽에 자리 잡았다. 진괘는 진동하는 것이고 만물이 생겨나는 처음이기 때문에 동쪽에 자리 잡았다. 태괘는 기뻐하는 것이고 만물이 이루어진 뒤이기 때문에 서쪽에 자리 잡았다. 이 네 개의 괘는 각각 정방향의 자리에 자리 잡은 것이다. 진괘는 목(木)에 속하고 손괘도 또한 목에 속하며, 진괘는 양으로서의 목이고 손괘는 음으로서의 목이기 때문에, 손괘는 동남쪽 사(巳)의 자리에 자리 잡았다. 태괘는 금(金)에 속하고 건괘도 또한 금에 속하며, 태괘는 음으로서의 금이고 건괘는 양으로서의 금이기 때문에 건괘는 서북쪽 해(亥)의 방위에 자리 잡았다. 곤괘와 간괘는 모두 토(土)이며, 곤은 음으로서의 토이고 간괘는 양으로서의 토이니, 곤괘가 서남쪽에 자리 잡고 간괘가 동북쪽에 자리 잡은 것은 그것으로 사계절에 고르게 왕성하다. 이 네 개의 괘는 네 모퉁

이에 나누어 자리 잡았다.

後天八卦以震·巽·離·坤·兌·乾·坎·艮爲次者, 震·巽屬木, 木
生火, 故離次之; 離火生土, 故坤次之; 坤土生金, 故兌·乾次之;
金生水, 故坎次之; 水非土亦不能以生木, 故艮次之. 水土又生木,
木又生火, 八卦之用, 五行之生, 循環無窮. 此所以爲造化流行之
序也."

후천 8괘가 진·손·리·곤·태·건·감·간괘의 차례로 순서를 정한
것은 진괘와 손괘가 목(木)에 속하고 목은 화(火)를 낳기 때문에 리
괘가 그 다음이며, 리괘로서의 화는 토(土)를 낳기 때문에 곤괘가
그 다음이며, 곤괘로서의 토는 금(金)을 낳기 때문에 태괘와 건괘
가 그 다음이며, 금은 수(水)를 낳기 때문에 감괘가 그 다음이며,
수는 토가 아니면 또한 목을 낳을 수 없기 때문에 간괘가 그 다음
에 자리 잡은 것이다. 수와 토는 또 목을 낳고 목은 또 화를 낳아
8괘의 작용과 오행의 생성은 끝없이 순환한다. 이것이 조화(造化)
와 유행의 순서가 된다."

● 龔氏煥曰 : "土之於物, 無時而不養, 今獨言致役乎坤, 何也?
曰, '土之養物, 雖無不然, 然於西南夏秋之交, 物將成就之時,
土氣正旺, 致養之功, 莫盛於此, 故曰「致役乎坤.」非它時不養,
而獨養乎此也, 故又曰「成言乎艮.」艮亦土也. 養者成之漸, 成
者養之終, 成而終者又將於此而始. 此土無不在, 其於養物之功,
成始而成終者也. 水·火一而木·金·土二者, 水·火陰陽之正,
木·金·土陰陽之交, 正者一而交者二也.'"9)

공환(龔煥)이 말했다. "토(土)라는 것은 그 어느 때도 기르지 않음이 없는데 지금 유독 곤괘에서 일을 다 한다고 말하는 것은 무엇 때문인가? 대답한다. '토가 만물을 기르는 것은 그렇지 않음이 없지만, 서남쪽에서 여름과 가을의 교체기에 만물이 성취하려고 할 때 토의 기(氣)가 한창 왕성하여, 기르는 공로가 이보다 융성함이 없기 때문에 '곤괘에서 일을 다 한다'라고 말했다. 다른 때에도 기르지 않는 것은 아니지만 유독 여기에서 길러지기 때문에 또 '간괘에서 이룬다'라고 말했다. 간괘도 또한 토(土)이다. 기르는 것은 점차적으로 이루는 일이고, 이루는 일은 기르는 것의 끝이며, 이루어 끝나는 것은 또 장차 여기에서 시작한다. 이는 토(土)가 있지 않은 곳이 없지만 그것이 만물을 기르는 공로는 시작을 이루고 끝을 이루는 것에 있다는 뜻이다. 수(水)·화(火)는 하나씩인데 목(木)·금(金)·토(土)가 둘씩인 것은, 수·화는 음·양이 바른 것이고 목·금·토는 음·양이 교류한 것인데, 바른 것은 하나이고 교류한 것은 둘이기 때문이다."

● 胡氏炳文曰: "離明以德言, 八卦之德可推; 坤地·坎水以象言, 八卦之象可推; 兌秋以時言, 八卦之時可推, 以互見也. 夏而秋, 火克金者也, 火·金之交, 有坤土焉, 則火生土, 土生金, 克者又順以相生. 冬而春, 水生木者也, 水·木之交, 有艮土焉, 木克土, 土克水, 生者又逆以相克. 土·金順以相生, 所以爲秋之克; 木·土逆以相克, 所以爲春之生. 生生克克, 變化無窮, 孰主宰之? 曰帝是也."[10]

9) 웅량보(熊良輔), 『주역본의집성(周易本義集成)』 권10에 공환(龔煥)의 말로 기록되어 있다.
10) 호병문(胡炳文), 『주역본의통석(周易本義通釋)』 권8.

호병문(胡炳文)이 말했다. "리괘의 밝음은 덕으로 말한 것이니 8괘의 덕을 미루어 볼 수 있고, 곤괘인 땅과 감괘인 물은 형상으로 말한 것이니 8괘의 형상을 미루어 볼 수 있으며, 태괘인 가을은 때로 말한 것이니 8괘의 때를 미루어 볼 수 있으니, 그것으로 서로 드러낸다. 여름에서 가을이 되는 것은 화(火)가 금(金)에 극복당하는 것인데, 화와 금의 교체기에 곤괘인 토가 있으니, 화는 토를 낳고 토는 금을 낳아, 극복당하는 것은 또 순조롭게 서로 낳는 것이다. 겨울에서 봄이 되는 것은 수(水)가 목(木)을 낳는 것인데, 수와 목의 교체기에 간괘인 토가 있으니, 목은 토를 극복하고 토는 수를 극복하여 낳는 것은 또 거슬러 서로 극복하는 것이다. 토와 금은 순조롭게 상생하기 때문에 가을의 극복이 되고, 목과 토는 거슬러 상극하기 때문에 봄의 생성이 된다. 낳고 또 낳으며 극복하고 또 극복하여 변화가 끝이 없는 것은 누가 그것을 주재하는가? 천제가 이렇게 한다."

● 俞氏琰曰 : "艮, 止也, 不言止而言成, 蓋止則生意絶矣, 成終而復成始, 則生意周流. 故曰'成言乎艮.'"[11]

유염(俞琰)이 말했다. "간(艮)은 멈춤인데 멈춤이라 말하지 않고 이룸을 말한 것은, 대개 멈추면 생의(生意 : 생명의지)가 단절되는데, 끝을 이루고 다시 시작을 이루면 생의가 두루 유행하기 때문이다. 그러므로 '간괘에서 이룬다.'고 했다."

● 陳氏琛曰 : "火氣極熱, 物無由而成; 水氣極寒, 物無由而生.

---

11) 유염(俞琰), 『주역집설(周易集說)』 권37.

唯土氣最爲中和, 故火·金之交有坤土, 水·木之交有艮土, 而爲
萬物之所由出入者也. 養身·養民·治天下, 皆要中和."

진침(陳琛)이 말했다. "화(火)의 기(氣)가 매우 뜨거우면 만물이 이
루어질 길이 없고, 수(水)의 기가 매우 차면 만물이 생겨날 길이 없
다. 오직 토(土)의 기가 가장 중화(中和)하기 때문에 화와 금의 교
체기에 곤괘인 토가 있고 수와 목의 교체기에 간괘인 토가 있어,
만물이 그것에 말미암아 들어가고 나가는 것이 된다. 몸을 기르
고, 백성을 길러주며, 천하를 다스리는 것은 모두 중화(中和)여야
한다."

● 張氏振淵曰 : "成始只在成終內, 無兩截事."

장진연(張振淵)이 말했다. "시작을 이룸은 끝을 이루는 것 속에 있
을 뿐이니, 두 가지 일이 있는 것이 아니다."

● 吳氏曰愼曰 : "氣不翕聚, 則不能發散; 物未堅實, 則不能復
種而生. 未有不能成終而能成始者也, 此貞下起元之理, 主靜立
本之道. 蓋必體立而後用有以行, 天地人物, 其理一也."

오왈신(吳曰愼)이 말했다. "기(氣)는 모이지 않으면 발산할 수 없
고, 만물은 결실이 확고하지 않으면 다시 종자가 되어 생겨날 수
없다. 끝을 이룰 수 없는데 시작을 이룰 수 있는 것은 없었으니,
이것이 정(貞) 다음에 원(元)이 시작하는 이치이고 고요함을 위주
로 하여 근본을 세우는 도리이다. 대개 반드시 본체가 확립된 뒤에
작용이 그것으로서 유행하니 하늘과 땅 사람과 만물이 그 이치가
하나이다."

此章明文王卦位也. 震動而發散者, 生機之始; 雷厲而風行者,
造化之初. 是故陽氣奮而物無不出, 陰氣順而物無不齊. 陽氣
盛, 麗於陰則明極矣; 陰精厚, 順於陽則養至矣. 陽之和足於內,
陰之滋足於外, 則說乎物而物成矣.

이 장(章)은 문왕의 괘 자리를 밝혔다. 진괘가 진동하여 발산하는
것은 생기(生機 : 생명력)의 시작이고, 우레가 맹렬하고 바람이 부
는 것은 조화(造化)의 초기이다. 이 때문에 양기가 떨치면 만물이
나오지 않음이 없고 음기가 순응하면 만물이 가지런하지 않음이 없
다. 양의 기가 성대하여 음에까지 드리우면 밝음이 지극하고, 음의
정미함이 두터워서 양에 순응하면 기름이 지극하다. 양의 온화함이
안으로 충분하고 음의 불어남이 밖으로 충분하면 만물을 기쁘게 하
여 만물이 이루어진다.

雖然, 天之道, 資陰而用之而功乃就, 克陰而化之而命斯行. 自
始至終, 莫非天也, 而終始之際, 見其健而不已焉者, 天之所以
爲天也. 由是, 役者於此休, 故坎以習熟之義而司勞焉; 動者於
此止, 故艮以動靜不窮之義而司成焉.

비록 그러하지만 하늘의 도(道)는 음에 의뢰하여 그것을 써서 공로
가 이에 성취되고, 음을 극복하여 그것을 변화시켜 명령이 이에 행
해진다. 처음부터 끝까지 하늘이 하는 일이 아닌 것이 없지만 끝나
고 시작할 때 그 굳건하여 끊이지 않음을 보이는 것이 하늘이 하늘
다운 까닭이다. 이로 말미암아 일하는 자가 여기에서 쉬기 때문에
감괘는 익숙함의 의미로 수고로움을 맡고, 움직이는 자가 여기에서
멈추기 때문에 간괘는 움직임과 고요함이 끝이 없다는 의미로 성공

을 맡는다.

夫文之位變乎義矣, 而其體用交錯之妙, 動靜互根之機, 則必合
而觀之, 然後造化之理盡. 孔子所以釋文王之意者, 如此而已.
諸儒或以五行言之, 說亦詳密, 故備載以相參考. 然諸儒所言坤
·艮之理, 亦有未盡者. 蓋呂令以土獨王未月而爲中央, 則土位
唯一也. 京房以土分王辰·戌·丑·未而直四季, 則土位有四也.

문왕의 8괘 자리는 복희씨의 8괘 자리를 바꾸었지만, 그 본체와 작
용이 교착하는 오묘함 및 움직임과 고요함이 서로 뿌리가 되는 기
틀은 반드시 합쳐서 살펴 본 뒤에 조화(造化)의 이치가 다 발휘된
다. 공자가 문왕의 뜻을 풀이한 것도 이와 같을 뿐이다. 여러 학자
들이 간혹 오행으로 그것을 말했고 그 주장 또한 상세하고 엄밀하
기 때문에 모두 기재하여 서로 참고하였다. 그러나 여러 학자들이
말하는 곤괘와 간괘의 이치는 또한 미진한 점이 있다. 여령(呂令)
은 토를 홀로 미월(未月 : 6월)에 왕성하여 중앙이 된다고 하였으
니, 토의 자리는 오직 하나이다. 경방(京房)은 토를 진(辰)·술(戌)
·축(丑)·미(未)에 나누어 왕성하여 사계절을 곧게 하였으니, 토의
자리는 4개가 된다.

今文王之卦, 唯坤·艮二土, 位於丑·未, 視「月令」則多其一, 視
京房則少其二, 何也? 蓋木之生火, 金之生水, 無所藉於土. 若
火非土, 必不能成金, 水非土, 必不能生木, 則土之功於是爲著.
又一歲之間, 陰陽二氣, 皆互相勝 : 陽勝陰, 則爲木之溫, 火之
熱, 自卯至未, 陽多之卦, 是也 ; 陰勝陽, 則爲金之涼, 水之寒,
自酉至丑, 陰多之卦, 是也. 唯丑接於寅, 未接於申, 爲三陰三陽

之卦, 則二氣適均, 而爲中和之會. 此所以獨爲土德之居也. 其
精義亦非諸術所及, 尙有先天·後天列象交變之妙. 見『啓蒙』
「附論」中.

지금 문왕의 괘는 오직 곤괘와 간괘 두 개의 토가 축(丑)과 미(未)
의 자리에 자리 잡으니, 『예기』「월령(月令)」과 비교하면 하나가 많
고, 경방의 주장과 비교하면 두 개가 적은데, 무엇 때문인가? 대개
목(木)이 화(火)를 낳고 금(金)이 수(水)를 낳는 데는 토(土)에 의존
하는 것이 없다. 그러나 화는 토가 아니면 반드시 금을 이룰 수 없
고, 수는 토가 아니면 반드시 목을 낳을 수 없으니, 토의 공로는 여
기에서 두드러진다. 또 일 년 사이에도 음과 양 두 기(氣)는 모두
서로 이기니, 양이 음을 이기면 목의 따뜻함과 화의 뜨거움이 되어
묘(卯)에서 미(未)에 이르기까지 양이 많은 괘가 이것이며, 음이 양
을 이기면 금의 서늘함과 수의 차가움이 되어 유(酉)에서부터 축
(丑)에 이르기까지 음이 많은 괘가 이것이다. 오직 축은 인(寅)에
접해 있고 미(未)는 신(申)에 접해 있어 세 개의 양과 세 개의 음인
괘가 되니, 음과 양 두 기가 균등하여 중화(中和)의 모임이 된다.
이것이 유독 토의 덕이 자리 잡게 되는 까닭이다. 그 정밀한 의미
는 또한 여러 학설이 미칠 수 있는 것이 아니니, 선천과 후천이 상
(象)을 나열하고 교착하여 변하는 오묘함이 있다. 『역학계몽』의「부
론(附論)」 가운데 보인다.

설괘 6

神也者, 妙萬物而爲言者也. 動萬物者莫疾乎雷,
橈萬物者莫疾乎風, 燥萬物者莫熯乎火, 說萬物者
莫說乎澤, 潤萬物者莫潤乎水, 終萬物始萬物者莫
盛乎艮. 故水火相逮, 雷風不相悖, 山澤通氣, 然後
能變化, 旣成萬物也.

신(神)이란 만물을 오묘하게 함을 말하는 것이다. 만물을 움직이는
것은 우레보다 빠른 것이 없고, 만물을 흔드는 것은 바람보다 빠른
것이 없으며, 만물을 건조시키는 것은 불보다 잘 말리는 것이 없고,
만물을 기쁘게 하는 것은 못보다 기쁘게 하는 것이 없으며, 만물을
적시는 것은 물보다 잘 적시는 것이 없고, 만물을 끝내고 만물을
시작하는 것은 간(艮 : 산)보다 왕성한 것이 없다. 그러므로 물과 불
이 서로 미치고, 우레와 바람이 서로 어그러지지 않으며, 산과 못이
기(氣)를 통한 다음에야 변화할 수 있고 만물을 충분히 이룰 수 있다.

此去乾·坤而專言六子, 以見神之所爲. 然其位序亦用上章
之說, 未詳其義.

이는 건·곤을 빼고 오로지 여섯 자식만을 말하여 신(神)이 하는 일
을 나타내었다. 그러나 그 자리와 차례는 또한 윗 장(章)의 말을 사
용했는데, 그 의미는 확실하지 않다.

此第六章.

이는 제6장이다.

● 韓氏伯曰 : “於此言‘神’者, 明八卦運動, 變化推移, 莫有使之
然者. 神無物, 妙萬物而爲言, 則雷疾風行, 火炎水潤, 莫不自然
相與爲變化, 故能萬物旣成也.”[1]

한백(韓伯)이 말했다. “여기에서 ‘신(神)’을 말한 것은 8괘의 운동과
변화의 추이(推移)가 그렇게 하도록 시킨 것이 없음을 밝힌 것이
다. 신은 구체적인 어떤 것이 아니지만, 만물을 오묘하게 하는 것
으로 말하면 우레가 빠르고 바람이 불며 불이 타오르고 물이 적셔
주는 것에 저절로 그러하게 도와주어 변화하도록 하지 않음이 없기
때문에, 만물이 충분히 이루어질 수 있다.”

---

1) 한백(韓伯), 『주역주소(周易註疏)』 권13.

● 崔氏憬曰 : "此言六卦之用, 而不及乾·坤者, 以天地無爲而無不爲, 故能成雷·風等有爲之神妙也. 艮不言山, 獨擧卦名者, 以動·橈·燥·潤, 功是雷·風·水·火, 至於終始萬物, 於山義則不然, 故言卦. 而餘皆稱物, 各取便而論也"[2]

최경(崔憬)이 말했다. "이는 여섯 개 괘의 작용을 말했는데, 건괘와 곤괘 두 괘를 말하지 않은 것은 하늘과 땅은 하는 일이 없으면서도 하지 않는 것이 없기 때문에 우레와 바람 등이 하는 일을 이루어질 수 있도록 신묘한 작용을 하기 때문이다. 간(艮)괘에 대해 산(山)을 말하지 않고 유독 괘의 명칭을 제시한 것은, 움직임·뒤흔듦·건조시킴·물로 적심이 공로가 우레·바람·물·불이지만, 만물을 시작하고 끝내는 경우는 산(山)의 의미로 그렇게 하지 못하기 때문에 괘를 말한 것이다. 나머지는 모두 사물을 일컬어 각각 편리함을 취하여 논했다."

● 朱氏震曰 : "張子云, '一則神, 兩則化.' 妙萬物者, 一則神也. 且動·橈·燥·說·潤, 終始萬物者, 孰若六子. 然不能以獨化, 故必相逮也, 不相悖也, 通氣也, 然後能變化旣成萬物. 合則化, 化則神."[3]

주진(朱震)이 말했다. "장자(張子 : 張載)는 '하나이니 신묘하고 둘이니 변화한다'[4]라고 했다. 만물을 오묘하게 한다는 것은 하나이니

---

2) 이정조(李鼎祚), 『주역집해(周易集解)』 권17에 최경의 말로 실려 있다.
3) 주진(朱震), 『한상역전(漢上易傳)』 권9.
4) 하나이니 신묘하고 둘이니 변화한다 : 장재, 『정몽(正蒙)』 「삼량편(參兩篇)」에는 "하나이기 때문에 신묘하고(양쪽에 있기 때문에 헤아릴 수 없다), 둘이기 때문에 변화한다(하나로 미루어 간다). 이것이 하늘이 셋이

신묘하다는 뜻이다. 또 움직임·뒤흔듦·건조시킴·기쁘게 함·물로
적심·만물을 끝맺고 시작함은 누구인들 여섯 자식만 하겠는가? 그
러나 홀로 화(化)할 수 없기 때문에 반드시 물과 불이 서로 미치고,
우레와 바람이 서로 어그러지지 않으며, 산과 못이 기(氣)를 통한
다음에야 변화할 수 있고 만물을 충분히 이룰 수 있다. 합쳐지면
화(化)하고, 화하면 신묘하다."

● 項氏安世曰; "動·橈·燥·說·潤·盛, 皆據後天分治之序, 而
相逮, 不相悖, 通氣, 變化. 復據先天相合之位者, 明五氣順布,
四季分王之時, 無極之眞, 二五之精, 所以妙合而凝者. 未始有
戾於先天之事也."[5]

항안세(項安世)가 말했다. "움직임·뒤흔듦·건조시킴·기쁘게 함·
물로 적심·왕성하게 함은 모두 후천(後天)의 나누어 다스리는 순
서에 의거하여 서로 미치고 서로 어그러지지 않으며 기(氣)를 통하
여 변화하는 것이다. 거기에다 다시 선천(先天)의 서로 합치는 자
리에 의거하는 것은 목·금·수·화·토 5개 기(氣)가 순조롭게 펼쳐
지고 사계절이 나누어 왕성할 때 무극(無極)의 진수와 음양오행의
정밀함이 그것으로 오묘하게 합하여 응결함을 밝힌 것이다. 그러하
니 선천의 일에 어그러진 것은 있은 적이 없었다."

● 又曰 : 澤不爲潤而爲說者, 潤者, 氣之濕而在內者也; 說者,

되는 까닭이다.[一故神(兩在故不測), 兩故化(推行於一). 此天之所以
參也.]"라고 되어 있다.

5) 항안세(項安世), 『주역완사(周易玩辭)』 권15.

色之光而在外者也. 澤氣上浮而光溢於外, 故說而可愛. 若潤物
之功, 淫液而深長, 則唯水足以當之."6)

(항안세가) 또 말했다. "못에 대해 적신다고 하지 않고 기쁘게 한다
고 했는데, 적신다는 것은 기(氣)의 축축함이 안에 있고, 기쁘게 한
다는 것은 색의 빛이 밖에 있기 때문이다. 못은 기(氣)가 위로 떠오
르지만 빛이 밖으로 넘치기 때문에 기뻐하여 사랑할 만하다. 만물
을 적시는 공로라면 끊이지 않게 적셔 깊이 길러주는 것이니, 오직
수(水)만이 그것을 감당하기에 충분하다."

● 吳氏澄曰 : "此承上章文王卦位之後, 而言六卦之用. 不言乾·
坤者, 乾·坤主宰萬物之帝, 行乎六子之中, 所謂'神也者, 妙萬
物而爲言者也' 萬物有跡可見, 而神在其中, 無跡可見. 然神不
離乎物也, 卽萬物之中而妙不可測者, 神也, 故曰'妙萬物.'

오징(吳澄)이 말했다. "이는 윗 장의 문왕의 괘 자리를 이어받든 뒤
에 여섯 괘의 작용을 말한 것이다. 건괘와 곤괘를 말하지 않은 까
닭은 건괘와 곤괘가 만물을 주재하는 천제로 여섯 자식들 속에 유
행하기 때문이니, 이른바 '신(神)이란 만물을 오묘하게 함을 말하는
것이다'라는 뜻이다. 만물은 볼 수 있는 자취가 있고, 신은 그 속에
있지만 볼 수 있는 자취가 없다. 그러나 신은 만물을 떠나지 않으
니, 만물 속에 있으면서 오묘하여 헤아릴 수 없는 것이 신이기 때
문에 '만물을 오묘하게 한다'고 말했다.

----

6) 항안세(項安世), 『주역완사(周易玩辭)』 권15.

雷之所以動, 風之所以橈, 火之所以燥, 澤之所以說, 水之所以
潤, 艮之所以終始, 皆乾·坤之神也. 動者發萌啓蟄, 震之出也;
橈者吹拂長養, 巽之齊也; 燥者炎赫暴炙, 離之相見也; 說者欣懌
充實, 兌之說也; 潤者滋液歸根, 坎之勞也; 終始者貞下起元, 艮
之成也."7)

우레가 만물을 움직이는 까닭, 바람이 만물을 흔드는 까닭, 불이 만
물을 건조시키는 까닭, 못이 만물을 기쁘게 하는 까닭, 물이 만물을
적시는 까닭, 간(艮)괘가 만물을 끝내고 시작하는 까닭은 모두 건
괘와 곤괘의 신묘함이 그렇게 하는 것이다. 움직이는 것이 싹이 트
고 겨울잠에서 깨어나는 것은 진(震)괘가 나오게 한다. 흔들리는
것이 바람에 흔들리며 잘 자라는 것은 손(巽)괘가 가지런하게 한
다. 마르는 것이 불타듯 빛나며 맹렬하게 구워내는 것은 리(離)괘
가 서로 보게 한다. 기뻐하는 것이 유쾌해 하며 충실한 것은 태(兌)
괘가 기뻐하게 한다. 적시는 것이 진액을 불어넣으며 근본으로 돌
아가는 것은 감(坎)괘가 수고롭게 한다. 끝내고 시작하는 것이 정
(貞) 아래에 원(元)을 일으키는 것은 간(艮)괘가 이루게 한다."

● 胡氏炳文曰 : "以上第三章·第四章, 言先天, 第五章言後天,
此第六章, 則由後天而推先天者也. 去乾·坤而專言六子, 以見
神之所爲, 言神則乾·坤在其中矣. 雷之所以動, 風之所以橈, 以
至艮之所以終·所以始, 後天之所以變化者, 實由先天而來. 先
天水火相逮, 以次陰陽之交合; 後天雷動風橈, 以次五行之變化,
唯其交合之妙如此, 然後變化之妙亦如此."8)

---

7) 오징(吳澄), 『역찬언(易纂言)』 권10.
8) 호병문(胡炳文), 『주역본의통석(周易本義通釋)』 권8.

호병문(胡炳文)이 말했다. "위의 제3장과 제4장은 선천(先天)을 말했고, 제5장은 후천(後天)을 말했으며, 이 제6장은 후천으로 말미암아 선천을 미루어 간 것이다. 건괘와 곤괘를 제외하고 오로지 여섯 자식을 말한 것은 그것으로 신(神)이 하는 일을 드러낸 것이니, 신을 말하면 건괘와 곤괘가 그 가운데 있기 때문이다. 우레가 만물을 움직이는 까닭과 바람이 만물을 흔드는 까닭에서 간(艮)괘가 만물을 끝내고 시작하는 까닭에 이르기까지는 후천의 변화하는 까닭이 사실 선천으로 말미암아 온다는 뜻이다. 선천은 물과 불이 서로 미치는 것으로 음양의 교합(交合)을 순서 지었고, 후천은 우레가 움직이게 하고 바람이 흔들리게 하는 것으로 오행의 변화를 순서 지었는데, 오직 그 교합의 오묘함이 이와 같은 다음에 변화의 오묘함이 또한 이와 같을 뿐이다."

● 俞氏琰曰: "物之方萌, 雷以動之; 萌而未舒, 風以橈之; 舒而尚柔, 火以燥之. 及其長也, 澤以說其外, 水以潤其內. 旣說且潤矣, 於是艮以止之, 止則終, 終則復始. 此六子各一其用, 而其所以成萬物者如是也. 乃若能變能化, 畢成萬物, 則又在乎兩相爲用, 然後能變化, 旣成萬物也."[9]

유염(俞琰)이 말했다. "만물이 막 싹 틀 때는 우레로 그것을 움직이고, 싹이 트였지만 아직 펴지지 않았을 때는 바람으로 그것을 흔들어 주며, 펴졌지만 아직 부드러울 때는 불로 그것을 건조시킨다. 그것이 장성하게 되면 못으로 그 밖을 기쁘게 하고 물로 그 안을 적셔준다. 이미 기쁘게 하고 적셔주었으면 이에 간괘로 그것을 멈추게 하고, 멈추면 끝나며 끝나면 다시 시작한다. 이것이 여섯

---

9) 유염(俞琰), 『주역집설(周易集說)』 권37.

자식이 각각 그 작용을 하나씩 하고 그것으로서 만물을 이루는 것이 이와 같다는 말이다. 그런데 변화할 수 있어 만물을 완성시키려면 또 두 가지씩 서로 작용하는 것에 달려있으니, 그런 다음에야 변화할 수 있고 만물을 충분히 이룰 수 있다."

● 梁氏寅曰 : "神, 卽帝也. 帝者神之體, 神者帝之用. 故主宰萬物者, 帝也; 所以妙萬物者, 帝之神也."[10]

양인(梁寅)[11]이 말했다. "신(神)은 곧 천제이다. 천제는 신의 본체이고 신은 천제의 작용이다. 그러므로 만물을 주재하는 것은 천제이고, 만물을 오묘하게 하는 근거는 천제의 신묘함이다."

● 蔡氏淸曰 : "如雷專於動, 風專於橈, 則滯於一隅, 不得謂之妙. 天地則役使六子, 以造化乎萬物, 而六子之伸縮變化, 皆天地之爲也, 所以謂神當乾 · 坤也. 於此蓋可以驗合一不測之義, 無在無不在之意. 蓋神如君后, 六子則六官之分職也. 六官所施

---

10) 양인(梁寅), 『주역참의(周易參義)』 권7.
11) 양인(梁寅, 1303~1389) : 자는 맹경(孟敬)이고, 호는 석문(石門)이다. 원말(元末) 명초(明初) 이학자로서 원대 신유(新喻 : 현 강서성 소속) 사람이다. 그의 학문은 공맹의 '인륜을 밝히는 일[明人倫]'을 핵심으로 하여 정 · 주 철학을 계승하였다. 명 태조(明太祖) 때에 조정에 들어가 원사(元史) 편찬에 참여하였고 예부주사(禮部主事)에 임명되었으나, 노환을 빌미로 귀향하여 저술과 교육에 힘썼다. 저서로 『주역참의(周易參義)』, 『춘추고의(春秋考義)』, 『상서찬의(尙書纂義)』, 『예기집략(禮記集略)』, 『시경연의(詩經演義)』, 『주례고주(周禮考注)』, 『책요사단(策要史斷)』, 『송원사역대서략(宋元史曆代敍略)』 등이 있다.

行, 皆帝后所主宰, 然後六職交擧而治功成矣."12)

채청(蔡淸)이 말했다. "만약 우레는 오로지 움직이기만 하고 바람은 오로지 흔들기만 한다면 한쪽에 치우쳐 오묘하다고 말할 수 없을 것이다. 하늘과 땅은 여섯 자식을 부려 만물을 조화(造化)하고, 여섯 자식의 늘이고 줄이는 변화는 모두 하늘과 땅이 하는 것이기 때문에 신(神)은 건·곤에 상당한다. 여기에서 대개 하나로 합치하여 헤아릴 수 없는 의미와 있지도 않고 있지 않음도 없다는 뜻을 증험할 수 있다. 대개 신(神)은 임금과 같고 여섯 자식은 6관(六官)이 직무를 나눈 것과 같다. 6관이 시행하는 일은 모두 임금이 주재한 뒤에 여섯 직무가 상호 거행되어 다스림의 공로가 이루어진다."

● 葉氏爾瞻曰 : "神非乾·坤, 乃乾·坤之運六子而不測者, 曰動, 曰橈, 曰燥, 曰說, 曰潤, 曰終始. 此正變化成萬物處, 然天地功用唯一, 故神非兩不化. 先天之六子, 各得其耦者, 所謂兩也, 兩者體之立也. 後天之變化成萬物者, 所謂兩者之化也, 兩者之化用之行也. 就此兩化之合一不測處, 乃所謂神."

섭이첨(葉爾瞻)이 말했다. "신(神)은 건·곤이 아니라 바로 건·곤이 여섯 자식을 운용하여 헤아릴 수 없는 것이니, 움직임·뒤흔듦·건조시킴·기쁘게 함·물로 적심·만물을 끝맺고 시작함이다. 이는 바로 만물을 변화시켜 이루는 것이지만 하늘과 땅의 공용(功用)이 오직 하나이기 때문에 신(神)은 둘이 아니면 화(化)하지 않는다. 선천(先天)의 여섯 자식이 각각 그 짝을 얻는 것이 이른바 둘이 되고 둘은 본체가 정립된다. 후천(後天)이 만물을 변화시켜 이루는 것은

---

12) 채청(蔡淸), 『역경몽인(易經蒙引)』 권12 상(上).

이른바 둘의 화(化)이고 둘의 화(化)는 작용이 유행한다. 이 둘과 화(化)가 하나로 합쳐져 헤아릴 수 없는 것이 이른바 신(神)이다."

此章合羲·文卦位而總贊之. 蓋變易之序, 後天爲著, 而變易之理, 先天爲明. 變易者化也, '動萬物'·'橈萬物'·'燥萬物'·'說萬物'·'潤萬物'·'終始萬物'者也. 交易者神也, 所以變變化化, 道並行而不相悖, 使物並育而不相害者也. 化者造物之跡也, 統乎地者也, 故以其可見之功而謂之'成.' 神者生物之心也, 統乎天者也, 故以其不測之機而謂之'妙.'

이 장은 복희씨와 문왕의 괘 자리를 합해서 총괄하여 찬미하였다. 대개 변역(變易)의 차례는 후천(後天)이 두드러지지만, 변역의 이치는 선천(先天)이 분명하다. 변역은 화(化)이니, 만물을 움직임·만물을 뒤흔듦·만물을 건조시킴·만물을 기쁘게 함·만물을 적심·만물을 끝내고 시작함이다. 교역(交易)은 신(神)이니, 변화하고 또 변화하는 까닭과 도(道)가 아울러 행하여 서로 어그러지지 않고, 만물을 함께 길러 서로 해치지 않도록 하는 것이다. 화(化)는 만물을 조화(造化)하는 자취이고 땅을 통괄하는 것이기 때문에 그 볼 수 있는 공로를 가지고 '이룬다'라고 말했다. 신(神)은 만물을 낳는 마음이고 하늘을 통괄하는 것이기 때문에 그 헤아릴 수 없는 기틀을 가지고 '오묘하다'라고 말했다.

설괘 7

[설괘 7-1]

乾, 健也; 坤, 順也; 震, 動也; 巽, 入也; 坎, 陷也;
離, 麗也; 艮, 止也; 兌, 說也.

건은 굳셈이고, 곤은 유순함이며, 진은 움직임이고, 손은 들어감이
며, 감은 빠짐이고, 리는 걸림이며, 간은 멈춤이고, 태는 기쁨이다.

本義

此言八卦之性情.

이는 8괘의 성정(性情)을 말하였다.

此第七章.

이는 제7장이다.

● 孔氏穎達曰 : "此一節說八卦名訓. 乾象天, 天體運轉不息, 故爲健; 坤象地, 地順承於天, 故爲順; 震象雷, 雷奮動萬物, 故爲動; 巽象風, 風行無所不入, 故爲入; 坎象水, 水處險陷, 故爲陷; 離象火, 火必著於物, 故爲麗; 艮象山, 山體靜止, 故爲止; 兌象澤, 澤潤萬物, 故爲說."[1]

공영달(孔穎達)이 말했다. "이 구절은 8괘의 명칭과 뜻을 말했다. 건괘는 하늘을 상징하고, 천체가 운행함이 그치지 않기 때문에 굳셈이 되었다. 곤괘는 땅을 상징하고, 땅은 하늘에 순응하여 받들기 때문에 유순함이 되었다. 진괘는 우레를 상징하고, 우레는 만물을 진작하여 움직이기 때문에 움직임이 되었다. 손괘는 바람을 상징하고, 바람이 불면 들어가지 못하는 곳이 없기 때문에 들어감이 되었다. 감괘는 물을 상징하고, 물은 험하여 빠지는 곳에 있기 때문에 빠짐이 되었다. 리괘는 불을 상징하고, 불은 반드시 사물에 붙어있기 때문에 걸림이 되었다. 간괘는 산을 상징하고, 산은 그 몸체가 정지해 있기 때문에 멈춤이 되었다. 태괘는 못을 상징하고, 못은 만물을 적셔주기 때문에 기쁨이 되었다."

● 邵子曰 : "乾, 奇也, 陽也, 健也, 故天下之健莫如天; 坤, 耦也, 陰也, 順也, 故天下之順莫如地, 所以順天也; 震, 起也, 一陽起也, 起, 動也, 故天下之動莫如雷; 坎, 陷也, 一陽陷於二陰, 陷, 下也, 故天下之下莫如水 : 艮, 止也, 一陽於是而止也, 故天下之止莫如山; 巽, 入也, 一陰入二陽之下, 故天下之入莫如風;

---

1) 공영달 소(孔穎達 疏), 『주역주소(周易註疏)』 권13.

離, 麗也, 一陰麗於二陽, 其卦錯然成文而華麗也, 天下之麗莫
如火, 故又爲附麗之麗; 兌, 說也, 一陰出於外而說於物, 故天下
之說莫如澤."[2]

소자(邵子 : 邵雍)가 말했다. "건괘는 홀[奇]이고 양이며 굳셈이기
때문에 천하의 굳셈은 하늘만 한 것이 없다. 곤괘는 짝[耦]이고 음
이며 유순함이기 때문에 천하의 유순함은 땅만 한 것이 없으니, 그
것으로써 하늘에 순응한다. 진괘는 일어남이고 하나의 양(陽)이 일
어나는 것이며, 일어남은 움직임이기 때문에 천하의 움직임은 우레
만 한 것이 없다. 감괘는 빠짐이고 하나의 양이 두 개의 음에 빠지
는 것이며, 빠짐은 아래이기 때문에 천하의 아래는 물만 한 것이
없다. 간괘는 멈춤이고 하나의 양이 여기에서 멈추기 때문에 천하
의 멈춤은 산만한 것이 없다. 손괘는 들어감이고 하나의 음이 두
개의 양 아래에 들어가기 때문에 천하의 들어감은 바람만 한 것이
없다. 리괘는 걸림이고 하나의 음이 두 개의 양에 걸려 있어 그 괘
는 교착하면서 문채를 이루어 화려하니 천하의 화려함은 불만 한
것이 없으며, 이 때문에 또 부착한다는 의미의 걸림이 된다. 태괘
는 기쁨이고 하나의 음이 밖으로 나와 만물을 기쁘게 하기 때문에
천하의 기쁨은 못만 한 것이 없다."

● 張子曰 : "陽陷於陰爲水, 附於陰爲火."[3]

장자(張子 : 張載)가 말했다. "양은 음에 빠져 물이 되고, 음에 붙어

---

2) 소옹(邵雍), 『황극경세서(皇極經世書)』 권13, 「관물외편 상(觀物外篇
上)」.
3) 장재(張載), 『정몽(正蒙)』 제2, 「삼량편(參兩篇)」.

불이 된다."

● 又曰 : "一陷溺而不得出爲坎, 一附麗而不能去爲離."[4]

또 (장자(張子 : 張載)가) 말했다. "한 번 빠져 나올 수 없는 것이 감
괘가 되고, 한 번 붙어 떠날 수 없는 것이 리괘가 된다."

● 『朱子語類』云 : "'以通神明之德, 以類萬物之情', 盡於八卦, 而
震・巽・坎・離・艮・兌, 又總於乾・坤. 曰動曰陷曰止, 皆健底意思;
曰入曰麗曰說, 皆順底意思. 聖人下此八字, 極狀得八卦性情盡."[5]

『주자어류』에서 말했다. "([계사하 2-1]에서) '신명(神明)의 덕을 통
달하고 만물의 실정을 분류하였다'는 것은 8괘에서 다 발휘되었지
만, 그 가운데 진・손・감・리・간・태괘는 또 건괘와 곤괘에 총괄된
다. 움직임과 빠짐과 멈춤은 모두 굳셈의 뜻이고, 들어감과 걸림과
기쁨은 모두 유순함의 뜻이다. 성인은 이 8개의 글자를 써서 8괘의
성정을 지극하게 형용하였다."

● 項氏安世曰 : "健者始於動而終於止, 順者始於入而終於說.
陽之動, 志於得所止; 陰之入, 志於得所說."[6]

항안세(項安世)가 말했다. "굳셈은 움직임에서 시작하여 멈춤에서

---

4) 장재(張載), 『정몽(正蒙)』 제14, 「대역편(大易篇)」.
5) 주희, 『주자어류』 권76, 23조목.
6) 항안세(項安世), 『주역완사(周易玩辭)』 권15.

끝나고, 유순함은 들어감에서 시작하여 기쁨에서 끝난다. 양의 움직임은 멈춤을 얻는 데 뜻을 두고, 음의 들어감은 기쁨을 얻는 데 뜻을 둔다."

● 蔡氏淸曰 : "自震而艮者,[7] 陽之由動而靜也; 自巽而兌者,[8] 陰之由靜而動也. 坎·離在中間, 坎則自動而向於靜也, 離則自靜而向於動也."[9]

채청(蔡淸)이 말했다. "진괘에서 간괘가 되는 것은 양(陽)이 움직임에서 말미암아 고요해지고, 손괘에서 태괘가 되는 것은 음(陰)이 고요함에서 말미암아 움직이는 것이다. 감괘와 리괘는 중간에 있는데, 감괘는 움직임으로부터 고요함으로 향해 가고, 리괘는 고요함으로부터 움직임에로 향해 가는 것이다."

案

八卦以卦畫定名義在先, 取象於雷·風·山·澤等在後. 孔氏之說, 固不如邵子之說矣. 然邵子說三陽卦, 則旣得之, 其說三陰卦, 以巽爲陰入於陽, 離爲陰附於陽, 則似未合經義. 蓋陰在內, 陽必入而散之; 陰在中, 陽必附而散之. 入與麗皆陽也, 特以先有陰質爲主, 故謂之陰卦爾. 唯張子曰, '陽陷於陰爲水, 附於陰

7) 自震而艮者 : 항안세(項安世), 『주역완사(周易玩辭)』 권15에는 "自震而坎而艮者[진괘에서 감괘가 되고 간괘가 되는 것은]"라고 되어 있다.
8) 自巽而兌者 : 항안세(項安世), 『주역완사(周易玩辭)』 권15에는 "自巽而離而兌者[손괘에서 리괘가 되고 태괘가 되는 것은]"라고 되어 있다.
9) 채청(蔡淸), 『역경몽인(易經蒙引)』 권2 상(上).

爲火', 又曰, '陰在內, 陽在外者不得入, 則周旋不舍而爲風', 實
盡物理之妙.

8괘는 괘를 그어 명칭과 의미를 정하는 것이 먼저이고, 우레·바람
·산·못 등에서 상징을 취하는 것이 나중이다. 공씨(孔氏 : 孔穎達)
의 주장은 본디 소자(邵子 : 邵雍)의 주장만 못하다. 그러나 소옹이
세 개의 양괘를 설명한 것은 이미 알맞지만, 세 개의 음괘를 설명
하여 손괘를 음이 양에 들어간 것으로 여기고 리괘를 음이 양에 붙
은 것으로 여기는 것은 경전의 의미에 부합하지 않은 것 같다. 음
이 속에 있을 때는 양이 반드시 들어가 그것을 흩어놓지만 음이 가
운데 있을 때는 양이 반드시 붙어 그것을 흩어놓는다. 들어가는 것
과 붙는 것은 모두 양이지만 먼저 음의 바탕이 있는 것이 위주가
되기 때문에 음괘라고 할 뿐이다. 오직 장자(張子 : 張載)가 '양은
음에 빠져 물이 되고, 음에 붙어 불이 된다'[10]라 말하고 또 '음이
속에 있을 때 밖에 있는 양이 들어가지 못하면 빙빙 돌며 자리 잡
지 못하여 바람이 된다'[11]라고 말했는데, 실로 만물의 이치가 오묘
함을 다 발휘했다.

....

10) 양은 음에 빠져 물이 되고, 음에 붙어 불이 된다 : 장재(張載), 『정몽(正
蒙)』 제2, 「삼량편(參兩篇)」.
11) 음이 속에 있을 때 밖에 있는 양이 들어가지 못하면 빙빙 돌며 자리 잡지
못하여 바람이 된다 : 장재(張載), 『정몽(正蒙)』 제2, 「삼량편(參兩篇)」.

설괘 8

[설괘 8-1]

乾爲馬, 坤爲牛, 震爲龍, 巽爲雞, 坎爲豕, 離爲
雉, 艮爲狗, 兌爲羊.

건은 말이고, 곤은 소이며, 진은 용이고, 손은 닭이며, 감은 돼지이
고, 리는 꿩이며, 간은 개이고, 태는 양이다.

本義

遠取諸物如此.

멀리 만물에서 취한 것이 이와 같다.

此第八章.

이는 제8장이다.

● 孔氏穎達曰: "此一節略明遠取諸物也. 乾象天, 天行健, 故爲馬; 坤象地, 任重而順, 故爲牛; 震動象, 龍動物, 故爲龍; 巽主號令, 雞能知時, 故爲雞; 坎主水瀆, 豕處汙濕, 故爲豕; 離爲文明, 雉有文章, 故爲雉; 艮爲靜止, 狗能善守, 禁止外人, 故爲狗; 兌說也. 王廙云, '羊者順之畜, 故爲羊也.'"1)

공영달(孔穎達)이 말했다. "이 구절은 멀리 만물에서 취한 것을 밝혔다. 건괘는 하늘을 상징하며 하늘은 굳세기 때문에 말이 되었다. 곤괘는 땅을 상징하며 무거운 것을 등에 지고 유순하기 때문에 소가 되었다. 진괘는 움직이는 모습이고 용은 잘 움직이는 것이기 때문에 용이 되었다. 손괘는 호령을 위주로 하며 닭이 때를 알려줄 수 있기 때문에 닭이 되었다. 감괘는 봇도랑을 위주로 하며 돼지는 더럽고 축축한 데 처해 있기 때문에 돼지가 되었다. 리괘는 문명(文明)이며 꿩은 문채가 있기 때문에 꿩이 되었다. 간괘는 고요하게 멈추어 있는 것이며 개가 집을 잘 지키고 외부 사람이 들어오는 것을 막기 때문에 개가 되었다. 태괘는 기쁨이다. 왕이(王廙)2)는 '양은 유순한 가축이기 때문에 양이 되었다'라고 말했다."

● 項氏安世曰: "健者爲馬, 順者爲牛, 善動者爲龍, 善伏者爲雞, 質躁而外汚者爲豕, 質野而外明者爲雉, 前剛而止物者爲狗, 內很而外說者爲羊."3)

....

1) 공영달 소(孔穎達 疏), 『주역주소(周易註疏)』 권13.
2) 왕이(王廙, 276~322): 동진시기의 서법가이고 자는 세장(世將)이다. 낭아 임기 사람이다. 승상 왕도(王導)와 왕돈(王敦)의 종제(從弟)이고 왕희지의 숙부이다.

항안세(項安世)가 말했다. "굳센 것은 말이고, 유순한 것은 소이며, 잘 움직이는 것은 용이고, 잘 살펴보는 것은 닭이며, 성질이 조급하지만 바깥이 더러운 것은 돼지이고, 성질이 거칠지만 밖으로 밝은 것은 꿩이며, 앞에서 굳세어 외물을 막는 것은 개이고, 안으로는 거스르지만 밖으로 기뻐하는 것은 양이다."

● 又曰 : "『造化權輿』云, '乾陽物也, 馬故蹄圓; 坤陰物也, 牛故蹄折. 陽病則陰, 故馬疾則臥; 陰病則陽, 故牛疾則立. 馬陽物, 故起先前足, 臥先後足; 牛陰物, 故起先後足, 臥先前足.'"[4]

(항안세가) 또 말했다. "『조화권여(造化權輿)』[5]에서 '건은 양을 상징하고 말이기 때문에 발굽이 둥글며, 곤은 음을 상징하고 소이기 때문에 발굽이 갈라져 있다. 양에 병이 생기면 음이 되기 때문에 말이 병들면 눕고, 음에 병이 생기면 양이 되기 때문에 소가 병들면 선다. 말은 양을 상징하는 것이기 때문에 일어설 때는 앞발을 먼저하고 누울 때는 뒷발을 먼저하며, 소는 음을 상징하는 것이기 때문에 일어설 때는 뒷발을 먼저하고 누울 때는 앞발을 먼저 한다."

3) 항안세(項安世), 『주역완사(周易玩辭)』 권15.
4) 항안세(項安世), 『주역완사(周易玩辭)』 권15.
5) 『조화권여(造化權輿)』: 당(唐)대 조자면(趙自勔)의 저술이다.

[설괘 9-1]

乾爲首, 坤爲腹, 震爲足, 巽爲股, 坎爲耳, 離爲
目, 艮爲手, 兌爲口.

건은 머리가 되고, 곤은 배가 되며, 진은 발이 되고, 손은 다리가
되며, 감은 귀가 되고, 리는 눈이 되며, 간은 손이 되고, 태는 입이
된다.

本義

近取諸身如此.

가까이 자기 몸에서 취한 것이 이와 같다.

此第九章.

이는 제9장이다.

● 孔氏穎達曰 : "此一節略明近取諸身也. 乾尊而在上, 故爲首.
坤能包藏含容, 故爲腹. 足能動用, 故震爲足也. 股隨於足, 則巽
順之謂, 故巽爲股也. 坎北方之卦主聽, 故爲耳也. 離南方之卦
主視, 故爲目也. 艮旣爲止, 手亦能止持其物, 故爲手也. 兌主言
語, 故爲口也."[1]

공영달(孔穎達)이 말했다. "이 구절은 가까이 자기 몸에서 취한 것
을 간략히 밝혔다. 건괘는 존귀하여 위에 있기 때문에 머리가 된
다. 곤괘는 감싸 간직하여 포용하기 때문에 배가 된다. 발은 움직
일 때 사용하는 것이기 때문에 진괘가 발이 된다. 다리는 발에 따
르니 순종하는 것을 말하기 때문에 손괘가 다리가 된다. 감괘는 북
쪽의 괘로 듣는 것을 위주로 하기 때문에 귀가 된다. 리괘는 남쪽
의 괘로 보는 것을 위주로 하기 때문에 눈이 된다. 간괘는 이미 멈
춤이고 손도 또한 어떤 것을 움직이지 않게 잡을 수 있기 때문에
손이 된다. 태괘는 말을 위주로 하기 때문에 입이 된다."

● 龔氏原曰 : "其外圓, 諸陽之所聚者, 首也; 其中寬, 衆陰之所
藏者, 腹也. 足則在下而善動, 股則從上而善隨. 耳則內陽而聰,
目則外陰而明. 在上而止者手也, 在外而說者口也."[2]

공원(龔原)이 말했다. "그 바깥이 둥글어 여러 양(陽)이 모이는 곳
이 머리이고, 그 속이 넓어 여러 음(陰)이 저장되는 곳이 배다.

---

1) 공영달 소(孔穎達 疏), 『주역주소(周易註疏)』 권13.
2) 이형(李衡), 『주역의해촬요(周易義海撮要)』 권9에 공원(龔原)의 말로
   실려 있다.

발은 아래에 있으면서 잘 움직이고, 다리는 위에서 잘 따르는 것이다. 귀는 속이 양이라 잘 듣고, 눈은 밖이 음이라 잘 본다. 위에 있으면서 멈추는 것이 손이고, 밖에 있으면서 기뻐하는 것이 입이다."

● 余氏芑舒曰 : "首以君之, 腹以藏之. 足履於下爲動, 手持於上爲止. 股下岐而伏, 口上竅而見. 耳外虛, 目內虛. 各以反對也."

여기서(余芑舒)가 말했다. "머리로 군림하고. 배로 저장한다. 발은 아래에서 밟아 움직이고, 손은 위에서 잡아 멈추게 한다. 다리는 아래로 갈라져 감추어져 있고, 입은 위로 구멍이 뚫려 나타난다. 귀는 바깥으로 비어 있고, 눈은 안으로 비어 있다. 이들은 각각 반대이다."

案

諸儒說股義, 唯余氏得之, 蓋股者陰所伏也.

여러 학자들이 다리의 의미를 설명한 것 가운데 오직 여씨(余氏 : 余芑舒)의 주장이 알맞으니, 다리는 음(陰)이 감추어져 있는 곳이기 때문이다.

설괘 10

[설괘 10-1]

乾, 天也, 故稱乎父. 坤, 地也, 故稱乎母. 震一索而
得男, 故謂之長男; 巽一索而得女, 故謂之長女. 坎
再索而得男, 故謂之加中男; 離再索而得女, 故謂
之中女. 艮三索而得男, 故謂之少男. 兌三索而得
女, 故謂之少女.

건괘는 하늘이므로 아버지라고 일컫고, 곤괘는 땅이므로 어머니라
고 일컫는다. 진괘는 한 번 찾아 구하여 아들을 얻었기 때문에 장남
(長男)이라고 하고, 손괘는 한 번 찾아 구하여 딸을 얻었기 때문에
장녀(長女)라고 한다. 감괘는 다시 한 번 찾아 구하여 아들을 얻었기
때문에 중남(中男)이라 하고, 리괘는 다시 한 번 찾아 구하여 딸을
얻었기 때문에 중녀(中女)라고 한다. 간괘는 세 번 찾아 구하여 아들
을 얻었기 때문에 소남(少男)이라 하고, 태괘는 세 번 찾아 구하여
딸을 얻었기 때문에 소녀(少女)라고 한다.

本義

索, 求也, 謂揲蓍以求爻也. 男·女, 指卦中一陰一陽之爻而言.

찾는대[索]는 말은 구하는 것이니, 시초(蓍草)를 세어 효를 구하는 것을 말한다. 남(男)과 여(女)는 괘 가운데 하나의 음효와 하나의 양효를 가리켜 말한다.

此第十章.

이는 제10장이다.

集說

● 『朱子語類』云 : "乾求於坤, 而得震·坎·艮; 坤求於乾, 而得巽·離·兌. 一·二·三者, 以其畫之次序言也."[1]

『주자어류』에서 말했다. "건괘가 곤괘에서 구하여 진괘·감괘·간괘를 얻고, 곤괘가 건괘에서 구하여 손괘·리괘·태괘를 얻는다. 한 번, 두 번, 세 번이라는 것은 그 획을 긋는 순서로 말하였다."

● 又云 : "一索·再索之說, 初間畫卦時, 也不恁地. 只是畫成八卦後, 便見有此象耳."[2]

------

1) 주희, 『주자어류』 권77, 59조목.
2) 주희, 『주자어류』 권65, 21조목.

(주자가) 또 말했다. "한 번 찾아 구하고, 다시 한 번 찾아 구한다는 말은 처음에 괘를 그을 때는 또한 그렇게 하지 않는다. 획을 그어 8괘를 이룬 뒤에 이러한 모습이 있다는 것을 알 수 있을 뿐이다."

● 項氏安世曰 : "乾 · 坤六子, 初爲氣, 末爲形, 中爲精. 雷 · 風氣 也, 山 · 澤形也, 水 · 火精也."3)

항안세(項安世)가 말했다. "건 · 곤과 여섯 자식은 처음에는 기(氣) 이고 끝에는 형체[形]이며 중간에는 '정미한 것[精]'이다. 우레와 바 람은 기이고 산과 못은 형체이며 물과 불은 정미한 것이다."

● 吳氏澄曰 : "萬物資始於天, 猶子之氣始於父也; 資生於地, 猶子之形生於母也. 故'乾稱父, 坤稱母.' '索', 求而取之也. 坤交 於乾, 求取乾之初畫 · 中畫 · 上畫, 而得長 · 中 · 少三男; 乾交於 坤, 求取坤之初畫 · 中畫 · 上畫, 而得長 · 中 · 少三女. '一索', 謂 交初; '再索', 謂交中; '三索', 謂交上. 以索之先後, 爲長 · 中 · 少 之次也."4)

오징(吳澄)이 말했다. "만물이 하늘에 의뢰하여 시작하는 것은 마 치 자식의 기(氣)가 아버지에게서 시작하는 것과 같고, 땅에 의뢰 하여 생겨나는 것은 마치 자식의 형체가 어머니에게서 생겨나는 것 과 같다. 그러므로 '건을 아버지라 일컫고 곤을 어머니라 일컫는다' 라고 하였다. '찾아 구한다[索]'는 구하여 취한다는 말이다. 곤괘가 건괘와 교류함에 건괘의 아래 획 · 중간 획 · 위 획을 구해 취하여 각

<hr />

3) 항안세(項安世), 『항씨가설(項氏家說)』 권1.
4) 오징(吳澄), 『역찬언(易纂言)』 권10.

각 장남·중남·소남을 얻고, 건괘가 곤괘와 교류함에 곤괘의 아래 획·중간 획·위 획을 구해 취하여 각각 장녀·중녀·소녀를 얻는다. '한 번 찾아 구한다'는 것은 아래 획과 교류함을 말하고, '다시 한 번 찾아 구한다'는 것은 중간 획과 교류함을 말하며, '세 번 찾아 구한다'는 것은 위 획과 교류함을 말한다. 찾아 구하는 선후 순서로 장자·중자·소자의 차례를 삼는다."

● 胡氏炳文曰 : "此章『本義』, 乃朱子未改正之筆, 當以『語錄』說爲正. 若專言撲著求卦, 則無復此卦序矣."[5]

호병문(胡炳文)이 말했다. "이 장(章)에 대한 『주역본의』의 설명은 주자(朱子 : 朱熹)가 아직 개정하지 않은 서술이 있으니 마땅히 『주자어류』의 말로 바로잡아야 할 것이다. 만약 오로지 시초의 수를 세어 괘를 구한다고 말하면 다시는 이 괘의 차례가 없을 것이다."

● 俞氏琰曰 : "'一索'·'再索'·'三索', 蓋以三畫自下而上之次序言. '稱'者, 尊之之辭; '謂'者, 卑之之辭."[6]

유염(俞琰)이 말했다. "'한 번 찾아 구한다'·'다시 한 번 찾아 구한다'·'세 번 찾아 구한다'는 것은 3개의 획을 아래에서 위로 올라가는 순서로 말한 것이다. '일컫는다[稱]'라는 것은 높이는 말이고, '~라고 한다'라는 것은 낮추는 말이다."

---

5) 호병문(胡炳文), 『주역본의통석(周易本義通釋)』 권8.
6) 유염(俞琰), 『주역집설(周易集說)』 권37.

● 以上四章, 皆言八卦之德之象, 而健·順·動·入·陷·麗·止·說諸德, 則名卦之義, 易理之根也. 不言雷·風·山·澤諸象者, 爲前圖位中已具.

이 위의 4개 장(章)들은 모두 8괘가 지닌 덕의 상징을 말했고, 굳셈·유순함·움직임·들어감·빠짐·걸림·멈춤·기쁨이라는 덕은 괘를 이름 짓는 의미이고 역(易)이 지닌 이치의 뿌리이다. 우레·바람·산·못 등의 상징을 말하지 않은 것은 앞의 8괘도 자리 가운데 이미 갖추어져 있다.

● 乾求坤·坤求乾之說, 當從吳氏, 『朱子語類』記錄偶誤.

건괘가 곤괘를 구하고 곤괘가 건괘를 구한다는 이론은 마땅히 오씨(吳氏 : 吳澄)의 주장을 따라야 할 것이니, 『주자어류』의 기록은 우연히도 잘못되었다.

[설괘 11-1]

乾爲天, 爲圜, 爲君, 爲父, 爲玉, 爲金, 爲寒, 爲冰,
爲大赤, 爲良馬, 爲老馬, 爲瘠馬, 爲駁馬, 爲木果.

건(乾)은 하늘이 되고 둥근 것이 되며, 군주가 되고 아버지가 되며,
옥(玉)이 되고 금(金)이 되며, 추위가 되고 얼음이 되며, 큰 적색이
되고 좋은 말이 되며, 늙은 말이 되고 수척한 말이 되며, 얼룩말이
되고, 나무의 과일이 된다.

本義

荀九家此下有爲龍, 爲直, 爲衣, 爲言.

순구가(荀九家)[1]에는 이 아래에 용(龍)이 되고, 곧음이 되며, 옷이
되고, 말이 된다는 구절이 있다.

....

1) 순구가(荀九家) : 순상(荀爽)의 구가역(九家易)

● 孔氏穎達曰 : "此一節廣明乾象. 乾旣爲天, 天動運轉, 故'爲
圜.' '爲君, 爲父', 取其尊道而爲萬物之始也; '爲玉, 爲金', 取其
剛之淸明也; '爲寒, 爲冰', 取其西北寒冰之地也; '爲大赤', 取其
盛陽之色也; '爲良馬', 取其行健之善也; '老馬', 取其行健之久
也; '瘠馬', 取其行健之甚, 瘠馬骨多也; '駁馬'有牙如鋸, 能食虎
豹, 取其至健也; '爲木果', 取其果實著木, 有似星之著天也."[2]

공영달(孔穎達)이 말했다. "이 구절은 건괘의 모습을 넓게 밝혔다.
건괘는 이미 하늘이 되었고 하늘의 움직임은 돌기 때문에 '둥근 것
이 된다.' '군주가 되고, 아버지가 된다'는 도(道)를 높여서 만물의
시작이 되는 것을 취했다. '옥(玉)이 되고, 금(金)이 된다'는 굳셈이
청명하다는 것을 취했다. '추위가 되고, 얼음이 된다'는 서북쪽의
한랭한 얼음 땅이라는 것을 취했다. '큰 적색이 된다'는 성대한 양
(陽)의 색깔이라는 것을 취했다. '좋은 말이 된다'는 굳세게 잘 걸어
가는 것을 취했다. '늙은 말'은 굳세게 오래토록 걸어가는 것을 취
했다. '수척한 말'은 굳세게 걸어가는 것이 심해 수척한 말이 뼈가
많이 드러나는 것을 취했다. '얼룩말'은 이빨이 마치 톱날과 같아
호랑이나 표범도 잡아먹을 수 있으니, 지극히 굳센 것을 취했다.
'나무의 과일이 된다'는 과실이 나무에 붙어 마치 별이 하늘에 붙어
있는 것과 같음을 취했다."

● 邵子曰 : "木結實而種之, 又成是木而結是實. 木非舊木也,
此木之神不二也, 此實生生之理也."[3]

---

2) 공영달 소(孔穎達 疏), 『주역주소(周易註疏)』 권13.
3) 소옹(邵雍), 『황극경세서(皇極經世書)』 권14, 「관물외편 하(觀物外篇

소자(邵子 : 邵雍)가 말했다. "나무는 열매를 맺어 그것으로 씨를 뿌리고 또 이 나무를 이루며 이 열매를 맺는다. 그 나무는 예전의 나무가 아니지만, 이는 나무의 신(神)이 둘이 아니라는 뜻이다. 이는 실로 낳고 또 낳는 이치이다."

● 郭氏雍曰 : "果者木之始也, 木以果爲始, 猶物以乾爲始也."4)

곽옹(郭雍)이 말했다. "과일은 나무의 시작이지만 나무는 과일을 시작으로 삼으니, 만물이 건(乾)을 시작으로 삼는 것과 같다."

● 程氏迥曰 : "'爲圜', 天之體也; '爲君', 居上而覆下也; '爲玉', 德粹也; '爲金', 堅剛也; '爲寒', 位西北也; '爲冰', 寒之凝也; '爲木果', 以實承實也."5)

정형(程迥)6)이 말했다. "'둥근 것이 된다'는 것은 하늘의 몸체이다.

下)」.
4) 곽옹(郭雍), 『곽씨전가역설(郭氏傳家易說)』 권9.
5) 당순지(唐順之), 『패편(稗編)』 권5에 정형(程迥)의 말로 기록되어 있다.
6) 정형(程迥) : 남송 응천부(應天府) 영릉(寧陵) 사람으로 자는 가구(可久)이고, 호는 사수(沙隨)이다. 효종(孝宗) 융흥(隆興) 원년(1163)에 진사(進士)에 급제하여, 진현(進賢)과 상요(上饒)의 지현(知縣), 양주(揚州) 태흥위(泰興尉), 요주덕흥지현(饒州德興知縣) 등을 역임하였다. 일찍이 왕보(王葆)와 가흥(嘉興)의 학자 무덕(茂德), 엄릉(嚴陵), 유저(喩樗)에게 경전을 배웠고, 주희는 그의 박학다식함과 실천정신을 칭찬했다. 경서는 물론 불교와 도가, 음운에 이르기까지 두루 연구했다. 저서에 『고역고(古易考)』, 『고역장구(古易章句)』, 『역전외편(易傳外編)』, 『춘추전현미예목(春秋傳顯微例目)』, 『논어전(論語傳)』, 『맹자장구(孟子章

'군주가 된다'는 것은 위에 자리 잡아 아래를 덮는다는 일이다. '옥이 된다'는 것은 덕이 순수함이다. '금이 된다'는 것은 단단하고 굳세다는 뜻이다. '추위가 된다'는 것은 서북쪽에 자리한다는 말이다. '얼음이 된다'는 것은 추워서 얼었다는 뜻이다. '나무의 과일이 된다'는 것은 열매로 열매를 이어받는다는 말이다."

● 『朱子語類』云; "卦象指文王卦言, 所以乾言'爲寒, 爲冰.'"[7]

『주자어류』에서 말했다. "괘의 상(象)은 문왕의 괘를 가리켜 말한 것이므로 건에 대하여 '위가 되고, 얼음이 된다'라고 말했다."

句)』, 『경사설제논변(經史說諸論辨)』, 『사성운(四聲韻)』, 『고운통식(古韻通式)』, 『의경정본서(醫經正本書)』, 『삼기도의(三器圖義)』, 『남재소집(南齋小集)』 등이 있는데, 세상에 전해진 것으로는 『주역고점법(周易古占法)』과 『주역장구외편(周易章句外編)』 등이 있다.
7) 주희, 『주자어류』 권77, 62조목.

坤爲地, 爲母, 爲布, 爲釜, 爲吝嗇, 爲均, 爲子母
牛, 爲大輿, 爲文, 爲衆, 爲柄, 其於地也爲黑.

곤(坤)은 땅이 되고 어머니가 되며, 삼베가 되고 가마솥이 되며, 인색
함이 되고 균등함이 되며, 새끼를 많이 기른 어미 소가 되고 큰 수레
가 되며, 문(文)이 되고 무리가 되며, 자루가 되고 땅에서는 검은
색이 된다.

本義

荀九家有爲牝, 爲迷, 爲方, 爲囊, 爲裳, 爲黃, 爲帛, 爲漿.

순구가(荀九家)에는 암컷이 되고, 혼미함이 되고, 네모가 되고, 주
머니가 되고, 치마가 되고, 황색이 되고, 비단이 되고, 마실 것이 된
다는 구절이 더 있다.

集說

● 孔氏穎達曰 : "此一節廣明坤象. 坤旣爲地, 地受任生育, 故‘爲
母’也. ‘爲布’, 取其廣載也; ‘爲釜’, 取其化生成熟也; ‘爲吝嗇’, 取
其生物不轉移也; ‘爲均’, 地道平均也; ‘爲子母牛’, 取其多蕃育而
順之也; ‘爲大輿’, 取其載萬物也; ‘爲文’, 取其萬物之色雜也; ‘爲
衆’, 取其載物非一也; ‘爲柄’, 取其生物之本也; ‘爲黑’, 取其極陰

之色也."8)

공영달(孔穎達)이 말했다. "이 구절은 곤괘의 모습을 넓게 밝혔다. 곤괘는 이미 땅이 되었고 땅은 생육의 임무를 맡았기 때문에 '어머니가 된다.' '삼베가 된다'는 널리 시행된다는 것을 취했다. '가마솥이 된다'는 화생(化生)하여 성숙하는 것임을 취했다. '인색함이 된다'는 만물을 낳음에 옮겨가지 않는다는 것을 취했다. '균등함이 된다'는 땅의 도(道)가 평평하고 고르다는 것이다. '새끼를 많이 기른 어미 소가 된다'는 많이 번식하여 순종하게 한다는 것을 취했다. '큰 수레가 된다'는 만물을 싣는다는 것을 취했다. '문(文)이 된다'는 만물의 색깔이 섞여있다는 것을 취했다. '무리가 된다'는 만물을 싣는 것이 하나가 아니라는 것을 취했다. '자루가 된다'는 만물을 낳는 근본이라는 것을 취했다. '검은 색이 된다'는 지극한 음(陰)의 색깔이라는 것을 취했다."

● 崔氏憬曰 : "徧布萬物於致養, 故坤'爲布'; 地生萬物, 不擇美惡, 故'爲均'也; 萬物依之爲本, 故'爲柄.'"9)

최경(崔憬)이 말했다. "만물을 양육함에 두루 펼쳐지기 때문에 곤(坤)은 '삼베가 되고', 땅이 만물을 낳음에 좋고 나쁜 것을 가리지 않기 때문에 '균등함이 되며', 만물이 그것에 의지하여 근본으로 삼기 때문에 '자루가 된다.'"

● 項氏安世曰 : "'嗇'其靜之翕, '均'其動之闢也. 乾質故坤文,

8) 공영달 소(孔穎達 疏), 『주역주소(周易註疏)』 권13.
9) 이정조(李鼎祚), 『주역집해(周易集解)』 권17에 최경의 말로 실려 있다.

乾一故坤衆."[10]

항안세(項安世)가 말했다. "'인색함'은 그 고요함이 닫히고, '균등함'
은 그 움직임이 열리는 것이다. 건(乾)은 질박함이기 때문에 곤(坤)
은 문채남이고, 건은 하나이기 때문에 곤은 무리이다."

10) 항안세(項安世), 『항씨가설(項氏家說)』 권1.

震爲雷, 爲龍, 爲玄黃, 爲旉, 爲大塗, 爲長子, 爲決
躁, 爲蒼筤竹, 爲萑葦, 其於馬也, 爲善鳴, 爲馵足,
爲作足, 爲的顙, 其於稼也, 爲反生, 其究爲健, 爲
蕃鮮.

진(震)은 우레가 되고, 용(龍)이 되며, 검고 누런색이 되고, 꽃이 되
며, 큰 길이 되고, 장자(長子)가 되며, 결단을 조급히 하는 것이 되고,
푸른 대나무가 되며, 갈대가 되고, 말에서는 잘 우는 말이 되고 왼발
이 흰말이 되고 발이 빠른 말이 되고 이마가 흰말이 되며, 곡식에서
는 껍질을 뒤집어쓰고 나오는 것이 되며, 궁극에는 강건함이 되고,
무성하고 선명함이 된다.

本義

荀九家有爲玉, 爲鵠, 爲鼓.

순구가(荀九家)에는 옥(玉)이 되고, 고니가 되고, 북이 된다는 구절
이 더 있다.

集說

● 虞氏翻曰 : “天玄地黃, 震天地之雜, 故‘爲玄黃.’”[11]

우번(虞翻)이 말했다. "하늘은 검고 땅은 누런데, 진괘는 하늘과 땅이 섞인 색깔이기 때문에 '검고 누런색이 된다.'"

● 孔氏穎達曰 : "此一節廣明震象. '爲玄黃', 取其相雜而成蒼色也. '爲旉', 取其春時氣至, 草木皆吐, 旉布而生也. '爲大塗', 取其萬物之所生也. '爲長子', 震爲長子也. '爲決躁', 取其剛動也. '爲蒼筤竹', 竹初生色蒼也. '爲萑葦', 竹之類也. '其於馬也, 爲善鳴', 取雷聲之遠聞也; '爲馵足', 馬後足白爲馵, 取其動而見也; '爲作足', 取其動而行健也; '爲的顙', 白額爲的顙, 亦取動而見也. '其於稼也, 爲反生', 取其始生戴甲而出也. '其究爲健', 極於震動則爲健也. '爲蕃鮮', 取其春時草木蕃育而鮮明."[12]

공영달(孔穎達)이 말했다. "이 구절은 진(震)괘의 모습을 넓게 밝혔다. '검고 누런색이 된다'는 서로 섞여 푸른색을 이룬다는 것을 취했다. '꽃이 된다'는 봄에 기(氣)가 이르러 초목이 모두 필 때 꽃봉오리가 펼쳐 생겨나는 것을 취했다. '큰 길이 된다'는 만물이 생겨나는 곳이라는 것을 취했다. '장자가 된다'는 진괘가 장자가 된다는 것이다. '결단을 조급히 하는 것이 된다'는 굳세게 움직인다는 것을 취했다. '푸른 대나무가 된다'는 대나무가 처음 생겨날 때 색깔이 푸른색이라는 것이다. '갈대가 된다'는 대나무의 부류라는 것이다. '말에서는 잘 우는 말이 된다'는 우레의 소리가 멀리까지 들린다는 것을 취했고, '왼발이 흰말이 된다'는 말의 뒷발이 흰 것이니, 움직일 때 드러나는 것을 취했으며, '발이 빠른 말이 된다'는 움직일 때

11) 이정조(李鼎祚), 『주역집해(周易集解)』 권17에 우번(虞翻)의 말로 기재되어 있다.
12) 공영달 소(孔穎達 疏), 『주역주소(周易註疏)』 권13.

가는 것이 굳세다는 것을 취했고, '이마가 흰말이 된다'는 흰 이마
를 가진 말이니, 또한 움직일 때 드러나는 것을 취했다. '곡식에서
는 껍질을 뒤집어쓰고 나오는 것이 된다'는 처음 생겨날 때 껍질을
쓰고 나온다는 것을 취했다. '궁극에는 강건함이 된다'는 진괘의 움
직임이 지극하면 강건함이 된다는 것이다. '무성하고 선명함이 된
다'는 봄철에 초목이 번성하게 자라 선명한 것을 취했다."

● 俞氏琰曰 : "陽長而不已, 則其窮爲乾之健. 三爻俱變則爲巽,
故'爲蕃鮮.'"13)

유염(俞琰)이 말했다. "양이 자라서 그치지 않으면 궁극에는 건(乾)
의 강건함이 된다. 진괘의 3개의 효가 다 변하면 손괘가 되기 때문
에 '무성하고 선명함이 된다'는 말이다."

● 蔡氏淸曰 : "凡嫁之始生, 皆爲反生. 蓋以其初間生意實從種
子中出, 而下著地以爲根, 然後種中萌芽乃自擧."14)

채청(蔡淸)이 말했다. "무릇 곡식이 처음 생겨날 때는 모두 껍질을
뒤집어쓰고 나온다. 그 초기의 생의(生意)가 실로 종자에서 나오기
때문인데, 아래로 땅에 붙어 뿌리를 내린 다음에야 종자 속의 싹이
스스로 고개를 쳐들게 된다."

---

13) 유염(俞琰), 『주역집설(周易集說)』 권38.
14) 채청(蔡淸), 『역경몽인(易經蒙引)』 권12 하(下).

巽爲木, 爲風, 爲長女, 爲繩直, 爲工, 爲白, 爲長,
爲高, 爲進退, 爲不果, 爲臭, 其於人也, 爲寡髮, 爲
廣顙, 爲多白眼, 爲近利市三倍, 其究爲躁卦.

손(巽)은 나무가 되고, 바람이 되며, 장녀(長女)가 되고, 먹줄이 곧음
이 되며, 공인(工人)이 되고, 흰색이 되며, 긴 것이 되고, 높음이 되며,
나아감과 물러남이 되고, 과단성 없음이 되며, 냄새가 되고, 사람에
게서는 적은 머리숱이 되고, 넓은 이마가 되고, 흰자위가 많은 눈이
되고, 이익을 가까이 하여 세 배의 폭리를 남기는 것이 되며, 궁극에
는 조급한 괘가 된다.

本義

荀九家有爲楊, 爲鸛.

순구가(荀九家)에는 버드나무가 되고, 황새가 된다는 구절이 더 있
다.

集說

● 翟氏玄曰 : "'爲繩直', 上二陽共正一陰, 使不得邪僻, 如繩之
直也."[15)

적현(翟玄)이 말했다. "'먹줄이 곧음이 된다'는 것은 손괘의 위 두 개의 양효가 함께 아래 한 개의 음효를 바로잡아 그르게 되지 못하도록 하는 것이 마치 먹줄이 곧은 것과 같다는 말이다."

● 孔氏穎達曰:"此一節廣明巽象. '巽爲木', 木可以輮曲直, 巽順之謂也. '爲繩直', 取其號令齊物也. '爲工', 亦取繩直之類. '爲白', 取其潔也. '爲長', 取其風行之遠也. '爲高', 取其木生而上也. '爲進退', 取其風性前卻. '爲不果', 亦進遲之義也. '爲臭', 取其風所發也. '爲寡髮', 風落樹之華葉, 則在樹者稀疏, 如人之少髮. '爲廣顙', 額闊髮寡少之義. '爲多白眼', 取躁人之眼, 其色多白也. '爲近利', 取躁人之情, 多近於利也. '市三倍', 取其木生蕃盛, 於市則三倍之利也. '其究爲躁卦', 取其風之勢極於躁急也."16)

공영달(孔穎達)이 말했다. "이 구절은 손(巽)괘의 모습을 넓게 밝혔다. '손(巽)은 나무가 된다'는 것은 나무는 구부리거나 곧게 할 수 있으니 유순함을 말한다. '먹줄이 곧음이 된다'는 호령이 만물을 가지런하게 하는 것을 취했다. '공인(工人)이 된다'는 것은 또한 먹줄의 곧음과 같은 부류를 취했다. '긴 것이 된다'는 바람이 멀리까지 부는 것을 취했다. '높음이 된다'는 나무가 자라서 위로 올라가는 것을 취했다. '나아감과 물러남이 된다'는 바람의 성질이 왔다갔다 하는 것을 취했다. '과단성 없음이 된다'는 또한 나아감이 늦다는 것을 취했다. '냄새가 된다'는 바람이 발산하는 것을 취했다. '적은

---

15) 이정조(李鼎祚), 『주역집해(周易集解)』 권17에 적현(翟玄)의 말로 기재되어 있다.
16) 공영달 소(孔穎達 疏), 『주역주소(周易註疏)』 권13.

머리숱이 된다'는 것은 바람이 나뭇잎을 떨어뜨리면 나무에 붙어 있는 잎이 적으니 마치 사람이 머리숱이 적은 것과 같다. '넓은 이마가 된다'는 것은 이마가 넓어서 머리카락이 적다는 의미이다. '흰자위가 많은 눈이 된다'는 조급한 사람의 눈은 그 색깔이 흰색이 많다는 것을 취했다. '이익을 가까이 한다'는 조급한 사람의 정(情)은 이익을 가까이 하는 것이 많다는 것을 취했다. '세 배의 폭리를 남긴다'는 나무가 자라 무성해지는 것이 시장에서는 세 배의 이익이라는 뜻을 취했다. 궁극에는 조급한 괘가 된다'는 바람의 형세가 매우 조급하다는 것을 취했다."

● 項氏安世曰 : "繩直其齊, 白其潔也."[17]

항안세(項安世)가 말했다. "먹줄의 곧음이 가지런한 것은 흰색의 깨끗함과 같다."

案

'寡髮'・'廣顙'・'多白眼', 皆取潔義. 今人之額闊少寒毛而眸子淸明者, 皆潔者也.

'머리숱이 적음'・'넓은 이마'・'흰자위가 많은 눈'은 모두 깨끗하다는 의미를 취했다. 요즘 사람들 가운데 이마가 넓어 머리숱이 적고 눈동자가 청명한 사람은 모두 깨끗한 사람이다.

---

17) 항안세(項安世), 『주역완사(周易玩辭)』 권15.

坎爲水, 爲溝瀆, 爲隱伏, 爲矯輮, 爲弓輪, 其於人
也爲加憂, 爲心病, 爲耳痛, 爲血卦, 爲赤, 其於馬
也爲美脊, 爲亟心, 爲下首, 爲薄蹄, 爲曳, 其於輿
也爲多眚, 爲通, 爲月, 爲盜, 其於木也, 爲堅多心.

감(坎)은 물이 되고, 도랑이 되며, 숨음이 되고, 바로잡거나 굽힘이
되며, 활과 바퀴가 되고, 사람에게서는 근심을 더함이 되고, 마음의
병이 되고, 귀가 아픔이 되고, 피의 괘가 되고, 적색이 되며, 말에서는
아름다운 등줄기가 되고, 성질이 급함이 되고, 머리를 아래로 떨굼이
되고, 얇은 발굽이 되고, 끄는 것이 되며, 수레에서는 고장이 많음이
되며, 통함이 되고, 달이 되며, 도둑이 되고, 나무에서는 단단하고
속이 많음이 된다.

本義

苟九家有爲宮, 爲律, 爲可, 爲棟, 爲叢棘, 爲狐, 爲蒺藜, 爲
桎梏.

순구가(苟九家)에는 집이 되고, 율(律)이 되며, 옳음이 되고, 기둥이
되며, 총생(叢生)하는 가시나무가 되고, 여우가 되며, 질려(蒺藜)가
되고, 질곡(桎梏)이 된다는 구절이 더 있다.

● 宋氏衷曰：“曲者更直爲矯, 直者更曲爲輮. 水流有曲直, 故 ‘爲矯輮.’ ‘爲美脊’, 陽在中央, 馬脊之象也.”[18]

송충(宋衷)이 말했다. “굽은 것을 바르게 고치는 일이 교(矯)이고, 곧은 것을 굽게 바꾸는 일이 유(輮)이다. 물의 흐름에는 굽음과 곧음이 있기 때문에 ‘바로잡거나 굽힘이 된다’는 말이다. ‘아름다운 등줄기가 된다’는 것은 양효가 중앙에 있는 것이 말의 등줄기 모습과 같다는 뜻이다.”

● 孔氏穎達曰：“此一節廣明坎象. ‘坎爲水’, 取其北方之行也. ‘爲溝瀆’, 取其水行無所不通也. ‘爲隱伏’, 取其水藏地中也. ‘爲輮矯’, 使曲者直爲矯, 使直者曲爲輮, 水流曲直, 故‘爲矯輮’也. ‘爲弓輪’, 弓者激矢如水激射也, 輪者運行如水行也. ‘爲加憂’, 取其憂險難也. ‘爲心病’, 憂險難故心病也. ‘爲耳痛’, 坎爲勞卦, 聽勞則耳痛也. ‘爲血卦’, 人之有血, 猶地有水也. ‘爲赤’, 亦取血之色. ‘其於馬也, 爲美脊’, 取其陽在中也. ‘爲亟心’, 亟, 急也, 取其中堅內動也. ‘爲下首’, 取其水流向下也. ‘爲薄蹄’, 取水流迫地而行也. ‘爲曳’, 取水磨地而行也. ‘其於輿也, 爲多眚’, 取其表裏有陰, 力弱不能重載也. ‘爲通’, 取行有孔穴也. ‘爲月’, 月是水之精也. ‘爲盜’, 取水行潛竊也. ‘其於木也, 爲堅多心’, 取剛在內也.”[19]

---

18) 이정조(李鼎祚), 『주역집해(周易集解)』 권2에 송충(宋衷)의 말로 기재되어 있다.

19) 공영달 소(孔穎達 疏), 『주역주소(周易註疏)』 권13.

공영달(孔穎達)이 말했다. "이 구절은 감(坎)괘의 모습을 넓게 밝혔다. '감(坎)은 물이 된다'는 북쪽에서 행한다는 것을 취했다. '도랑이 된다'는 물이 흘러감에 통하지 않는 곳이 없다는 것을 취했다. '숨음이 된다'는 물이 땅속에 숨어있다는 것을 취했다. '바로잡거나 굽힘이 된다'는 굽은 것을 바르게 하는 것이 교(矯)이고 곧은 것을 굽게 하는 것이 유(輮)인데, 물의 흐름에는 굽음과 곧음이 있기 때문에 '바로잡거나 굽힘이 된다'는 뜻이다. '활과 바퀴가 된다'는 활이 화살을 날리는 것이 마치 물이 분사되는 것과 같고, 바퀴가 굴러가는 것이 마치 물이 흘러가는 것과 같다는 것이다. '근심을 더함이 된다'는 험난함을 근심한다는 것을 취했다. '마음의 병이 된다'는 험난함을 근심하기 때문에 마음이 병든다는 것이다. '귀가 아픔이 된다'는 감괘가 수고로움의 괘이니 수고로운 것을 들으면 귀가 아프다는 것이다. '피의 괘가 된다'는 사람에게 피가 있는 것이 마치 땅에 물이 있는 것과 같다는 말이다. '적색이 된다'는 것은 또한 피의 색깔을 취했다. '말에서는 아름다운 등줄기가 된다'는 양효가 가운데 있다는 것을 취했다. '성질이 급함이 된다'는 '빠름[亟]'은 급한 것이니 마음이 건강하여 안에서 움직인다는 것을 취했다. '머리를 아래로 떨굼이 된다'는 물이 아래를 향해 흘러간다는 것을 취했다. '얇은 발굽이 된다'는 물의 흐름이 땅을 핍박하면서 흘러간다는 것을 취했다. '끄는 것이 된다'는 물이 땅을 마찰하면서 흘러간다는 것을 취했다. '수레에서는 고장이 많음이 된다'는 겉에 음효가 있어 힘이 약해 무거운 것을 실을 수 없다는 것을 취했다. '통함이 된다'는 구멍에도 흘러간다는 것을 취했다. '달이 된다'는 달이 물의 정미함이라는 것이다. '도둑이 된다'는 물이 몰래 흘러간다는 것을 취했다. '나무에서는 단단하고 속이 많음이 된다'는 것은 굳셈이 안에 있다는 뜻을 취했다."

● 鄭氏正夫曰 : "血在形, 如水在天地間, 故'爲血卦.'"[20]

정정부(鄭正夫)가 말했다. "피가 몸속에 있는 것이 마치 물이 하늘과 땅 사이에 있는 것과 같기 때문에 '피의 괘가 된다'는 말이다."

● 蔡氏淸曰 : "日火外影也, 金·水內影也. 月是金·水之精, 何獨外影? 曰, '月體亦內影, 坎象也. 得日之光以爲光, 故兼外影耳. 凡金與水得日之光, 亦光輝外射也.'"[21]

채청(蔡淸)이 말했다. "해와 불은 바깥이 비추는 것이고 금(金)과 수(水)는 안이 비추는 것이다. 달은 금과 수의 정미한 것인데 무엇 때문에 유독 바깥이 비추는 것인가? 대답한다. '달의 몸체는 또한 안에서 비추는 것이니 감괘의 모습이다. 해의 빛을 받아 빛이 되기 때문에 바깥이 비추는 것을 겸할 뿐이다. 무릇 금과 수가 해의 빛을 받으면 그것들 또한 눈부신 빛을 밖으로 발산한다."

案

坎以習險取勞義, 故'加憂'·'心病'·'耳痛'者, 人之勞也. '亟心'·'下首'·'薄蹄'·'曳'者, 馬之勞也. '多眚'者, 車之勞也. 凡馬勞極, 則心亟而屢下其首, 蹄薄而足曳, 皆歷險之甚所致也.

감괘는 험난한 것을 연습한다는 것으로 수고로움의 의미를 취했기 때문에 '근심을 더함'·'마음의 병'·'귀가 아픔'은 사람의 수고로움이

---

20) 채청(蔡淸), 『역경몽인(易經蒙引)』 권12 하(下)에 정정부(鄭正夫)의 말로 기재되어 있다.
21) 채청(蔡淸), 『역경몽인(易經蒙引)』 권12 하(下).

다. ‘성질이 급함’·‘머리를 아래로 떨굼’·‘얇은 발굽’·‘다리를 끎’은 말의 수고로움이다. ‘고장이 많음’은 수레의 수고로움이다. 무릇 말이 매우 피곤하면 성질이 급해져 자주 머리를 아래로 떨구고 발굽이 얇아져 발을 끄는데, 이는 모두 몹시 험한 길을 거쳤기 때문에 그렇게 된 것이다.

離爲火, 爲日, 爲電, 爲中女, 爲甲胄, 爲戈兵, 其於
人也, 爲大腹, 爲乾卦, 爲鱉, 爲蟹, 爲蠃, 爲蚌, 爲
龜, 其於木也, 爲科上槁.

리(離)는 불이 되고, 해가 되며, 번개가 되고, 중녀(中女)가 되며, 갑옷과 투구가 되고, 창과 병기가 되며, 사람에게서는 배가 큰 사람이 되고, 건(乾)괘가 되며, 자라가 되고, 게가 되고, 소라가 되고, 조개가 되고, 거북이 되며, 나무에서는 가운데가 비어 있고 위가 마른 것이 된다.

本義

荀九家有爲牝牛.

순구가(荀九家)에는 암소가 된다는 말이 더 있다.

集說

● 孔氏穎達曰 : "此一節廣明離象. '離爲火', 取南方之行也. '爲日', 日是火精也. '爲電', 火之類也. '爲中女', 離爲中女. '爲甲胄', 取其剛在外也. '爲戈兵', 取其以剛自捍也. '其於人也, 爲大腹', 取其懷陰氣也. '爲乾卦', 取其日所烜也. '爲鱉, 爲蟹, 爲蠃, 爲蚌, 爲龜', 皆取剛在外也. '其於木也, 爲科上槁', 科, 空也, 陰

在內爲空, 木旣空中, 上必枯槁也."22)

공영달(孔穎達)이 말했다. "이 구절은 리(離)괘의 모습을 넓게 밝혔다. '리(離)는 불이 된다'는 남쪽에서 행한다는 것을 취했다. '해가 된다'는 해가 불의 정미함이라는 것이다. '번개가 된다'는 불의 부류라는 것이다. '중녀(中女)가 된다'는 리괘가 중녀라는 것이다. '갑옷과 투구가 된다'는 굳셈이 밖에 있다는 것을 취했다. '창과 병기가 된다'는 굳셈으로 스스로 수호한다는 것을 취했다. '사람에게서는 배가 큰 사람이 된다'는 음기를 품었다는 것을 취했다. '건(乾)괘가 된다'는 햇볕을 쬐어 말린다는 것을 취했다. '자라가 되고, 게가 되고, 소라가 되고, 조개가 되고, 거북이 된다'는 모두 굳셈이 밖에 있다는 것을 취했다. '나무에서는 가운데가 비어 있고 위가 마른 것이 된다'는 빔[科]은 비어 있는 것이고 음효가 안에 있으면 비어 있게 되니, 나무가 이미 속이 비어 있으니 위는 반드시 마른다는 것이다."

● 俞氏琰曰 : "離中虛而外乾燥, 故爲木之'科上槁', 蓋與坎之'堅多心'相反."23)

유염(俞琰)이 말했다. "리괘는 가운데가 비어 있고 밖이 건조하기 때문에 나무가 속이 비어 있고 위가 마른 것이 되니, 감(坎)괘의 '단단하고 속이 많은 것'과 상반된다."

---

22) 공영달 소(孔穎達 疏), 『주역주소(周易註疏)』 권13.
23) 유염(俞琰), 『주역집설(周易集說)』 권38.

[설괘 11-7]

> 艮爲山, 爲徑路, 爲小石, 爲門闕, 爲果蓏, 爲閽寺,
> 爲指, 爲狗, 爲鼠, 爲黔喙之屬, 其於木也, 爲堅多節.

간(艮)은 산(山)이 되고, 작은 길이 되며, 작은 돌이 되고, 문이 되며, 과일과 풀의 열매가 되고, 궁궐 문을 지키는 관리가 되며, 손가락이 되고, 개가 되고, 쥐가 되고, 부리가 검은 짐승의 무리가 되며, 나무에 서는 단단하고 마디가 많음이 된다.

本義

> 荀九家有爲鼻, 爲虎, 爲狐.

순구가(荀九家)에는 코가 되고, 호랑이가 되고, 여우가 된다는 구절이 더 있다.

集說

● 宋氏衷曰 : "閽人主門, 寺人主巷. 艮爲止, 此職皆掌禁止者也."[24]

송충(宋衷)이 말했다. "혼인(閽人)은 궁궐 문을 주로 지키는 관리이

---

24) 이정조(李鼎祚), 『주역집해(周易集解)』 권17에 송충(宋衷)의 말로 기재되어 있다.

고, 사인(寺人)은 궁궐 통로를 주로 지키는 관리이다. 간괘는 막는 것이니, 이 직책은 모두 금지하는 일을 맡은 것이다."

● 虞氏翻曰 : "'爲山', 故'爲徑路'也. 艮手, 故'爲指.' 陽剛在上, 故'堅多節.'"25)

우번(虞翻)이 말했다. "'산이 되기' 때문에 '작은 길이 된다'는 것이다. 간괘는 손이기 때문에 '손가락이 된다'는 뜻이다. 양효의 굳셈이 위에 있기 때문에 '단단하고 마디가 많음이 된다'는 말이다."

● 孔氏穎達曰 : "此一節廣明艮象. '艮爲山', 取陰在下爲止, 陽在上爲高, 故艮象山也. '爲徑路', 取其山路有潤道也. '爲小石', 取其艮爲山, 又爲陽卦之小者也. '爲門闕', 取其崇高也. '爲果蓏', 木實爲果, 草實爲蓏, 取其出於山谷之中也. '爲閽寺', 取其禁止人也. '爲指', 取其執止物也. '爲狗', '爲鼠', 取其皆止人家也. '爲黔喙之屬', 取其山居之獸也. '其於木也, 爲堅多節', 取其堅凝故多節也."26)

공영달(孔穎達)이 말했다. "이 구절은 감(坎)괘의 모습을 넓게 밝혔다. '간(艮)은 산(山)이 된다'는 음효가 아래에서 막고 양효가 위에서 높기 때문에 간괘가 산을 상징한다는 것을 취했다. '작은 길이 된다'는 산길에 골짜기 길이 있다는 것을 취했다. '작은 돌이 된다'는 간괘는 산이 되고 또 양괘의 작은 것이 된다는 것을 취했다. '문

---

25) 이정조(李鼎祚), 『주역집해(周易集解)』 권17에 우번(虞翻)의 말로 기재되어 있다.

26) 공영달 소(孔穎達 疏), 『주역주소(周易註疏)』 권13.

이 된다'는 것은 숭고함을 취했다. '과일과 풀의 열매가 된다'는 나무의 열매가 과(果)이고 풀의 열매는 라(蓏)이니, 산과 계곡에서 나오는 것을 취했다. '궁궐 문을 지키는 관리가 된다'는 사람들을 금지하는 것을 취했다. '손가락이 된다'는 사물을 잡아 멈추게 한다는 것을 취했다. '개가 되고, 쥐가 된다'는 모두 남을 막는다는 것이다. '부리가 검은 짐승의 무리가 된다'는 산에 사는 짐승이라는 것을 취했다. '나무에서는 단단하고 마디가 많음이 된다'는 것은 견고하게 응결되어 마디가 많다는 뜻이다."

● 項氏安世曰 : "震'爲旉, 爲蕃鮮', 草木之始也, 艮'爲果蓏', 草木之終也. 果蓏能終而又能始, 故於艮之象爲切."[27]

항안세(項安世)가 말했다. "진괘가 '꽃이 되며 무성하고 선명함이 된다'는 것은 초목의 시작이라는 뜻이고, 간괘가 '과일과 풀의 열매가 된다'는 것은 초목의 끝이라는 뜻이다. 과일과 풀의 열매는 끝맺을 수 있고 또 시작할 수 있기 때문에 간괘의 상징에서 중요한 것이 된다."

● 俞氏琰曰 : "『周官』閽人掌王宮中門之禁,　止物之不應入者; 寺人掌王之內人及女官之戒令, 止物之不得出者. 坎之剛在內, 故爲木之堅多心; 艮之剛在外, 故爲木之堅多節."[28]

유염(俞琰)이 말했다. "『주관(周官)』에서 혼인(閽人)은 왕궁 중문의 금지를 맡아 사람들이 마음대로 들어오지 못하도록 막는 자이고,

---

27) 항안세(項安世), 『주역완사(周易玩辭)』 권15.
28) 유염(俞琰), 『주역집설(周易集說)』 권38.

사인(寺人)은 왕의 처첩과 여관(女官)의 금령(禁令)을 맡아 사람들이 마음대로 나갈 수 없도록 막는 자라고 하였다. 감괘는 굳셈이 안에 있기 때문에 나무가 단단하고 속이 꽉참이 되고, 간괘는 굳셈이 밖에 있기 때문에 나무가 단단하고 마디가 많음이 된다."

[설괘 11-8]

> 兌爲澤, 爲少女, 爲巫, 爲口・舌, 爲毁折, 爲附決,
> 其於地也, 爲剛鹵, 爲妾, 爲羊.

태(兌)는 못이 되고, 소녀(少女)가 되며, 무당이 되고, 입과 혀가 되며, 훼손함이 되고, 붙었다가 떨어짐이 되며, 땅에서는 굳은 소금이 되며, 첩이 되고, 양(羊)이 된다.

本義

荀九家有爲常, 爲輔頰.

순구가(荀九家)에는 항상됨이 되고, 뺨과 볼이 된다는 구절이 더 있다.

此第十一章. 廣八卦之象, 其間多不可曉者, 求之於經, 亦不盡合也.

이는 제11장이다. 이 장(章)은 팔괘(八卦)의 모습을 넓혔지만 그 사이에 이해할 수 없는 것이 많고, 경전에서 찾아보아도 또한 다 합치되지는 않는다.

集說

● 孔氏穎達曰：“此一節廣明兌象. ‘兌爲澤’, 取其陰卦之小, 地

類卑也. '爲少女', 兌爲少女也. '爲巫', 取其口舌之官也. '爲口
舌', 取西方於五事而言也. '爲毀折, 爲附決', 兌西方之卦, 取秋
物成熟, 藁稈之屬, 則毀折也; 果蓏之屬, 則附決也. '其於地也,
爲剛鹵', 取水澤所停, 剛鹹鹵也. '爲妾', 取少女從姊爲娣也."[29]

공영달(孔穎達)이 말했다. "이 구절은 태(兌)괘의 모습을 넓게 밝혔
다. '태(兌)는 못이 된다'는 음괘 가운데 작은 것으로 땅의 부류가
비천하다는 것을 취했다. '소녀(少女)가 된다'는 태괘가 소녀라는
것이다. '무당이 된다'는 것은 변설을 하는 관리를 취했다. '입과 혀
가 된다'는 다섯 가지 일에서 서쪽을 말하는 것을 취했다. '훼손함
이 되고, 붙었다가 떨어짐이 된다'는 태괘는 서쪽의 괘로서 가을에
만물이 성숙하여 마른 짚 종류가 훼손되고, 과일과 풀의 열매 따위
는 떨어지는 것을 취했다. '땅에서는 단단한 소금이 된다'는 못이
흐름이 정지되면 굳은 소금이 되는 것을 취했다. '첩이 된다'는 소
녀가 언니를 좇아 동생이 된다는 것을 취했다."

총론

● 項氏安世曰 : "此章推廣象類, 使之明備, 以資占者之決也."[30]

항안세(項安世)가 말했다. "이 장은 상징의 부류를 미루어 넓히고
그것을 명확하게 완비하여 점치는 자가 결단하는 데 도움이 되도록
했다."

---

29) 공영달 소(孔穎達 疏), 『주역주소(周易註疏)』 권13.
30) 항안세(項安世), 『주역완사(周易玩辭)』 권15.

● 胡氏炳文曰：“此章廣八卦之象，凡百十有二．其中有相對取象者，如乾爲天·坤爲地之類是也．上文乾‘爲馬’，此則‘爲良馬·老馬·瘠馬·駁馬’；上文坤‘爲牛’，此則‘爲子母牛．’乾‘爲木果’，結於上而圓；坤‘爲大輿’，載於下而方．震‘爲決躁’，巽‘爲進退，爲不果’，剛柔之性也．震·巽獨以其究言，剛柔之始也．坎內陽外陰，水與月則內明外暗；離內陰外陽，火與日則內暗外明．坎中實，故於人‘爲加憂·爲心病·爲耳痛’；離中虛，故於人‘爲大腹．’艮‘爲閽寺·爲指’，艮之止也．兌‘爲巫·爲口舌’，陰之說也．

호병문(胡炳文)이 말했다. "이 장은 8괘의 상징을 넓혔으니 모두 112개이다. 그 가운데 서로 짝하여 상징을 취한 것이 있으니, 예컨대 건은 하늘이 되고 곤은 땅이 된다고 한 부류가 이것이다. 위의 글에서는 건은 '말이 된다'라고 했는데, 여기에서는 '좋은 말이 되고, 늙은 말이 되며 수척한 말이 되고, 얼룩말이 된다'고 하였다. 위의 글에서는 곤은 '소가 된다'라고 했는데, 여기에서는 '새끼를 많이 기른 어미 소가 된다'고 하였다. 건괘가 '나무의 과일이 된다'는 것은 위에서 열매 맺어 둥글고, 곤괘가 '큰 수레가 된다'는 것은 아래에 실어서 네모진다. 진괘가 '결단을 조급히 하는 것이 된다'와 손괘가 '나아감과 물러남이 되고, 과단성 없음이 된다'는 것은 굳셈과 유순함의 성질이다. 진괘와 손괘에서 유독 그 궁극을 말한 것은 굳셈과 유순함의 시작이다. 감괘는 안이 양효이고 밖이 음효이니 물과 달은 안이 밝고 밖이 어두우며, 리괘는 안이 음효이고 밖이 양효이니 불과 해는 안이 어둡고 밖이 밝다. 감괘는 중간이 차 있기 때문에 사람에게서는 '근심을 더함이 되고, 마음의 병이 되고, 귀가 아픔이 되며', 리괘는 중간이 비었기 때문에 '사람에게서는 배가 큰 사람이 된다.' 간괘가 '궁궐 문을 지키는 관리가 되며, 손가락이 된다'는 것은 간괘의 멈춤이다. 태괘가 '무당이 되고, 입과 혀가 된다'는 것은 음이 기뻐함이다.

有相反取象者, 震‘爲大塗’, 反而艮則‘爲徑路’; 巽‘爲長, 爲高’, 反而兌則‘爲毁折.’

서로 반대되어 상징을 취한 것이 있으니, 진괘가 ‘큰 길이 되는데’ 반대로 간괘는 ‘작은 길이 되며’, 손괘가 ‘자라나게 되고, 높이게 되는데’ 반대로 태괘는 ‘헐어버리고 꺾이게 함이 된다.’

有相因取象者, 乾‘爲馬’, 震得乾初之陽, 故於馬‘爲善鳴, 馵足, 作足, 的顙’; 坎得乾中爻之陽, 故於馬‘爲美脊, 亟心, 下首, 薄蹄, 曳.’ ‘巽爲木’, 幹陽而根陰也. 坎中陽, 故於木‘爲堅多心’; 艮上陽, 故於木‘爲堅多節’; 離中陰而虛, 故於木‘爲科上槁.’ 乾‘爲木果’, 艮‘爲果蓏’, 果陽在上, 果蓏陽上而陰下也.

서로 따라서 상징을 취한 것이 있으니, 건괘가 ‘말이 되니’, 진괘는 건괘의 아래 양효를 얻었기 때문에 말에서는 ‘잘 우는 말이 되고 왼발이 흰말이 되고 발이 빠른 말이 되고 이마가 흰말이 되며’, 감괘는 건괘의 가운데 양효를 얻었기 때문에 말에서는 ‘아름다운 등줄기가 되고, 성질이 급함이 되고, 머리를 아래로 떨굼이 되고, 얇은 발굽이 되고, 끄는 것이 된다.’ ‘손(巽)은 나무가 된다’는 것은 양을 줄기로 하고 음을 뿌리로 한다는 뜻이다. 감괘는 가운데가 양이기 때문에 나무에서는 ‘단단하고 속이 꽉참이 되고’, 간괘는 위가 양이기 때문에 나무에서는 ‘단단하고 마디가 많음이 되며’, 리괘는 중간이 음이라 비어 있기 때문에 나무에서는 ‘가운데가 비어 있고 위가 마른 것이 된다.’ 건괘는 ‘나무의 과일이 되고’ 간괘는 ‘과일과 풀의 열매가 되는데’, 과일인 양은 위에 있고 과일과 풀의 열매는 양이 위에 있고 음이 아래에 있다.

有一卦之中, 自相因取象者, 坎'爲隱伏', 因而'爲盜'; 巽'爲繩直',
因而'爲工'; 艮'爲門闕', 因而'爲閽寺'; 兌'爲口‧舌', 因而'爲巫.'

하나의 괘 가운데 서로 따라서 상징을 취한 것이 있으니, 감괘가
'숨음이 되니' 따라서 '도둑이 되고', 손괘가 '공인(工人)이 되니' 따
라서 '먹줄이 곧음이 되었으며', 간괘가 '문이 되니' 따라서 '궁궐 문
을 지키는 관리가 되고', 태괘가 '입과 혀가 되니' 따라서 '무당이 되
었다.'

有不言而互見者, 乾'爲君', 以見坤之爲臣; 乾'爲圜', 以見坤之爲
方. '吝嗇'者, 陰之翕也, 以見陽之闢; '均'者, 地之平也, 以見天
之高. 離'爲乾卦', 以見坎之爲濕; 坎'爲血卦', 以見離之爲氣; 巽
'爲臭', 以見震之爲聲. 震'爲長子', 而坎‧艮不言者, 於陽之長者
尊之也; 兌少女'爲妾', 而巽‧離不言者, 於陰之少者卑之也. 乾
'爲馬', 震‧坎得乾之陽皆言馬, 而艮不言者, 艮止也, 止之性非
馬也. 他可觸類而通矣."[31]

말은 하지 않았지만 상호간에 나타난 것이 있으니, 건괘가 '군주가
되어서' 곤괘가 신하가 되는 것을 나타냈고, 건괘가 '둥근 것이 되
어서' 곤괘가 네모진 것이 되는 것을 나타냈다. '인색함'은 음이 합
쳐진 것인데 그것으로 양의 열림을 나타냈고, '균등함'은 땅이 평평
한 것인데 그것으로 하늘이 높음을 나타냈다. 리괘가 '건괘가 되는
것'으로 감괘가 축축함이 되는 것을 나타냈고, 감괘가 '피의 괘가
되는 것'으로 리괘가 기(氣)가 되는 것을 나타냈다. 손괘가 '냄새가
되는 것'으로 진괘가 소리가 되는 것을 나타냈다. 진괘가 '장자가

---

31) 호병문(胡炳文), 『주역본의통석(周易本義通釋)』 권8.

되는데' 감괘와 간괘에서 말하지 않은 것은 양의 장성함을 높이는 것이고, 태괘의 소녀가 '첩이 되는데' 손괘와 리괘에서 말하지 않은 것은 음의 작음을 낮추는 것이다. 건괘가 '말이 되고' 진괘와 감괘는 건괘의 양을 얻어 모두 말을 말했는데, 간괘에서 말하지 않은 것은 간괘는 멈춤이니 멈추는 성질은 말이 아니기 때문이다. 기타는 부류에 따라 통할 수 있다.

案

此章雖廣八卦之象, 然有前文所取, 而此反不備者, 則非廣也. 意前爲歷代相傳, 而此則『周易』義例與!

이 장은 비록 8괘의 상징을 넓혔지만 앞의 글에서 취한 것이 있는데, 여기서는 도리어 갖추지 않았으니 넓힌 것도 아니다. 생각건대 앞의 것은 역대로 서로 전해오는 것이고, 여기의 것은 『주역』의 요지와 편집 격식에 따른 것이리라!

序卦傳・雜卦傳

서괘전·잡괘전

제18권

서괘전

集說

● 孔氏穎達曰 : "韓康伯云, 「序卦」之所明, 非『易』之蘊也. 蓋因卦之次, 托象以明義.' 今驗六十四卦, 二二相偶, 非覆卽變. 覆者, 表裏視之, 遂成兩卦, 屯·蒙·需·訟·師·比之類, 是也. 變者, 反覆惟成一卦, 則變以對之, 乾·坤·坎·離·大過·頤·中孚·小過之類, 是也. 且聖人本定先後, 若元用孔子「序卦」之意, 則不應非覆卽變. 然則康伯所云, '因卦之次, 托象以明義', 蓋不虛矣."[1]

공영달(孔穎達)이 말했다. "한강백(韓康伯)은 「서괘전」에서 밝힌 것은 『역』의 깊은 뜻이 아니다. 괘의 순서에 따라 상(象)에 의탁하여 의미를 밝혔기 때문이다'라고 하였다. 이제 64괘를 증험하면 둘씩 서로 짝이 되는 데 뒤집은 것이 아니면 바로 변한 것이다. 뒤집은 것은 겉으로 보아 두 개의 괘를 이루었으니, 둔괘(屯䷂)와 몽괘(蒙䷃), 수괘(需䷄)와 송괘(訟䷅), 사괘(師䷆)와 비괘(比䷇) 따위가 이것이다. 변한 것은 반복하여 오직 하나의 괘를 이루었으니 변하여 짝이 된 것은 건괘(乾䷀)와 곤괘(坤䷁), 감괘(坎䷜)와 리괘(離䷝), 대과괘(大過䷛)와 이괘(頤䷚), 중부괘(中孚䷼)와 소과괘(小過

---

1) 공영달 소(孔穎達 疏), 『주역주소(周易註疏)』 권13.

☷) 따위가 이것이다. 성인이 본래 선후를 정한 것이 원래 공자가 「서괘전」에서 밝힌 뜻을 사용했다면 마땅히 뒤집은 것이 아니면 바로 변한 것으로 하지는 않았을 것이다. 그렇다면 한강백이 '괘의 순서에 따라 상(象)에 의탁하여 의미를 밝혔'라고 말한 것이 헛되지는 않다."

● 張子曰 : "「序卦」相受, 聖人作易, 須有次序."[2]

장자(張子 : 張載)가 말했다. "「서괘전」에서 서로 받으니, 성인이 역을 지을 때 반드시 순서가 있었을 것이다."

● 『朱子語類』, 問 : "「序卦」, 或以爲非聖人之書, 信乎?" 曰 : "此沙隨程氏之說也. 先儒以爲非聖人之蘊, 某以爲非聖人之精則可, 謂非易之蘊則不可. 周子分'精'與'蘊'字甚分明. 「序卦」卻正足易之蘊, 事事夾雜, 都有在裏面."

『주자어류』에서 물었다. "「서괘전」에 대해 어떤 사람은 성인의 책이 아니라고 여기는데, 확실합니까?"
주자가 대답했다. "이것은 사수 정씨(沙隨程氏 : 程迥)의 주장이다. 선대 학자들은 성인의 깊은 뜻이 아니라고 여기는데, 나는 그것을 성인의 정미함이 아니라고 하는 것은 괜찮지만, 그것을 역의 깊은 뜻이 아니라고 말하면 안 된다고 생각한다. 주자(周子 : 周敦頤)는 '정미함[精]'과 '깊은 뜻[蘊]'을 아주 분명하게 나누었다. 「서괘전」은 오히려 역의 깊은 뜻이 되기에 충분하니, 일마다 섞여진 것이 모두

2) 장재(張載), 『횡거역설(橫渠易說)』 권3.

그 속에 있다."

問 : "如何謂易之精?" 曰 : "如'易有太極, 是生兩儀, 兩儀生四象, 四象生八卦', 這是易之精."

물었다. "무엇을 역의 정미함이라고 말합니까?"
(주자가) 대답했다. "예컨대 '역에는 태극이 있으니, 이것이 양의(兩儀 : 음과 양)를 낳고 양의는 4상(四象)을 낳으며 4상은 8괘를 낳는다'라고 한 것이 역의 정미함이다."

問 : "如「序卦」中亦見消長·進退之義 喚作不是精不得." 曰 : "此正是事事夾雜, 有在裏面, 正是蘊. 須是自一個生出來以至於無窮, 便是精."[3]

물었다. "예컨대 「서괘전」 가운데도 또한 사라지고 자라며 나아가고 물러나는 의미를 볼 수 있는데, 그것을 정미함이 아니라고 말할 수 없는 것 같습니다."
(주자가) 대답했다. "이것이 바로 일마다 섞여진 것이 그 속에 있는 것이니, 바로 깊은 뜻이다. 모름지기 하나가 생겨나는 것에서 끝이 없는 데까지 이르러야 곧 정미한 것이다."

● 問 : "『易』「上經」三十卦, 「下經」三十四卦, 多寡不均, 何也?" 曰 : "卦有正對, 有反對. 乾·坤·坎·離·頤·大過·中孚·小過八卦, 正對也. 正對不變, 故反覆觀之, 止成八卦. 其餘五十六卦,

---

3) 주희, 『주자어류』 권77, 65조목.

反對也. 反對者皆變, 故反覆觀之, 共二十八卦. 以正對卦合反
對卦觀之, 總而爲三十六卦. 其在「上經」, 不變卦凡六, 乾·坤·
坎·離·頤·大過, 是也. 自屯·蒙而下二十四卦, 反之則爲十二,
以十二而加六, 則十八也. 其在「下經」, 不變卦凡二, 中孚·小
過, 是也. 自咸·恒而下三十二卦, 反之則爲十六, 以十六加二,
亦十八也. 其多寡之數, 則未嘗不均也."[4]

물었다. "『역』은 「상경(上經)」이 30괘이고 「하경(下經)」이 34괘로
서 수량이 고르지 않은데 무엇 때문입니까?"
(주자가) 대답했다. "괘에는 정대(正對 : 꼭 맞는 짝)가 있고, 반대
(反對 : 뒤집은 짝)가 있다. 건괘(乾☰)와 곤괘(坤☷), 감괘(坎☵)와
리괘(離☲), 대과괘(大過☱)와 이괘(頤☲), 중부괘(中孚☲)와 소과
괘(小過☳)가 정대이다. 정대는 불변하기 때문에 거꾸로 뒤집어 보
아도 위 8개 괘를 이룰 뿐이다. 그 나머지 56개 괘는 반대이다. 반
대는 모두 변하기 때문에 거꾸로 뒤집어 보면 합계 28개 괘이다.
정대의 괘에 반대의 괘를 합쳐서 보면 총 36개 괘가 된다. 「상경」
에는 불변하는 괘가 모두 6개이니 건괘·곤괘·감괘·리괘·이괘·
대과괘가 이것이다. 둔괘·몽괘 이하 24개 괘는 뒤집으면 12개가
되고, 12개에 6개를 더하면 18개이다. 「하경」에는 불변하는 괘가
모두 2개이니, 중부괘와 소과괘가 이것이다. 함괘와 항괘 이하 32
개 괘는 뒤집으면 16개가 되고, 16개에 2개를 더하면 역시 18개가
된다. 그 수량의 많고 적음은 고르지 않은 적이 없다."

● 問 : "「序卦」中有一·二不可曉處. 如六十四卦, 獨不言咸卦,

---

4) 웅량보(熊良輔), 『주역본의집성(周易本義集成)』 권11에 주희의 말로 기
   재되어 있다.

何也?" 曰 : "夫婦之道, 卽咸也." 問 : "恐亦如「上經」不言乾·坤, 但言天·地, 則乾·坤可見否?" 曰 : "然."5)

『주자어류』에서 물었다. "「서괘전」에는 한두 가지 알 수 없는 곳이 있습니다. 예컨대 64괘에서 유독 함괘만 말하지 않은 것은 무엇 때문입니까?"
(주자가) 대답했다. "'부부의 도(道)가 곧 함괘이다."
물었다. "또한 예컨대 「상경」에서 건·곤은 말하지 않고 하늘과 땅만을 말하면 건·곤을 알 수 있는 것과 같다는 말인지요?"
(주자가) 대답했다. "그렇다."

● 項氏安世曰 : "『易』之稱「上·下經」者, 未有考也. 以「序卦」觀之, 二篇之分, 斷可知矣."6)

항안세(項安世)가 말했다. "『역』에서 「상경」·「하경」이라고 일컫는 것이 고찰된 적은 없었다. 그러나 「서괘전」으로 살펴보면 두 편이 나누어진다는 것을 확실히 알 수 있다."

案

卦之所以序者, 必自有故, 而孔子以義次之. 就其所次, 亦足以見天道之盈虛·消長, 人事之得失·存亡, 國家之興衰·理亂. 如孔氏·朱子之言, 皆是也. 然須知若別爲之序, 則其理亦未嘗不相貫. 如蓍筮之法, 一卦可變爲六十四卦. 隨其所遇, 而其貞與

---

5) 주희, 『주자어류』 권77, 67조목.
6) 항안세(項安世), 『주역완사(周易玩辭)』 권16.

悔皆可以相生, 然後有以周義理而極事變, 故曰‘天下之能事畢
也.’ 孔子蓋因「序卦」之次以明例, 所謂舉其一隅焉爾. ‘神而明
之’, 則知易道之周流而趨時無定, 且知筮法之變通而觸類可長.
此義蓋易之旁通至極處也.

괘에 순서가 있는 것은 반드시 본래 까닭이 있었을 것인데, 공자는
의미로 그것을 차례지었다. 그 차례 지은 것에서 또한 천도(天道)
의 채워짐과 비워짐, 사그라짐과 자라남, 그리고 인간사의 얻음과
잃음, 보존과 멸망, 나아가 국가의 흥성과 쇠퇴, 다스려짐과 혼란함
을 충분히 볼 수 있다. 예컨대 공씨(孔氏 : 孔穎達)와 주자의 말이
모두 이것이다. 그러나 이같이 별도로 차례를 지어도 그 이치는 또
한 서로 관통되지 않은 적이 없다는 것을 반드시 알아야 한다. 예
컨대 시초를 세는 방법은 하나의 괘가 변하여 64개 괘가 될 수 있
는 것과 같다. 그 만나는 것에 따라 내괘[貞]와 외괘[悔]가 모두 상
생할 수 있은 뒤에 그것으로 의리를 두루고 일의 변화를 극진히
할 수 있기 때문에 ‘천하에 할 수 있는 일이 끝날 것이다’라고 하였
다.’ 공자가 「서괘전」의 순서에 따라 체례(體例)를 밝힌 것은 이른
바 ‘한 귀퉁이를 들어주는 것’[7]일 뿐이다. ‘신묘하게 하여 그것을
밝히면’, 역(易)의 도가 두루 유행하여 때에 따라 정해지지 않음을
알고, 또 점치는 방법이 변통하여 부류에 따라 확장할 수 있음을
알 수 있다. 이러한 의미는 역의 두루 통함이 지극한 점이다.

---

7) 한 귀퉁이를 들어주는 것 : 『논어』「술이(述而)」에서 “공자가 말했다. ‘마
음속으로 통하려고 노력하지 않으면 열어주지 않으며, 애태워하지 않으
면 말해주지 않는다. 한 귀퉁이를 들어주었는데 이것을 가지고 남은 세
귀퉁이를 반증(反證)하지 못하면 다시 더 일러주지 않는다.’[子曰 : ‘不憤
不啓, 不悱不發. 舉一隅, 不以三隅反, 則不復也.’]”라고 하였다.

有天地, 然後萬物生焉. 盈天地之間者唯萬物, 故
受之以屯. 屯者, 盈也.

하늘과 땅이 있은 뒤에 만물이 생겨난다. 하늘과 땅 사이에 가득한
것이 만물이기 때문에 준(屯)괘로 받았다. 준(屯)은 가득함이다.

集說

● 項氏安世曰 : "屯不訓盈也. 當屯之時, 剛·柔始交, 天地絪縕,
雷雨動盪, 見其氣之充塞也. 是以謂之盈爾. 故謂之盈者其氣
也, 謂之物之始生者其時也, 謂之難者其事也. 若屯之訓, 紛紜
盤錯之義云爾."[8]

항안세(項安世)가 말했다. "준(屯)은 가득함으로 풀이하지 않는다.
준의 때에 굳셈과 유순함이 처음 교류하여 하늘과 땅의 두 기(氣)
가 긴밀하게 어우러져 우레가 치고 비가 쏟아지니, 그 기가 가득
찬 것을 알 수 있다. 이 때문에 가득함이라고 말할 뿐이다. 그러므
로 가득함이라고 말하는 것은 그 기이고, 만물이 처음 생겨남이라
고 말하는 것은 그 때이며, 어렵다고 말하는 것은 그 일이다. 만약
준이라는 글자의 풀이라면 혼란스럽게 뒤얽혀 있다는 의미라고 말
할 수 있을 뿐이다."

---

8) 항안세(項安世), 『주역완사(周易玩辭)』 권16.

屯者, 物之始生也. 物生必蒙, 故受之以蒙. 蒙者,
蒙也, 物之稚也. 物稚不可不養也, 故受之以需. 需
者, 飮食之道也. 飮食必有訟, 故受之以訟.

준(屯)은 만물이 처음 생겨나는 것이다. 만물이 생겨나면 반드시 어
리기 때문에 몽(蒙)괘로 받았다. 몽(蒙)은 어림이니, 만물이 어린 것
이다. 만물이 어리면 기르지 않을 수 없기 때문에 수(需)괘로 받았다.
수(需)는 음식의 도(道)이다. 음식에는 반드시 분쟁이 있기 때문에
송(訟)괘로 받았다.

集說

● 孔氏穎達曰 : "上言'屯者, 盈也', 釋屯次乾·坤. 其言已畢, 更
言'屯者, 物之始生者', 開說下'物生必蒙', 直取始生之意, 非重釋
屯之名也."9)

공영달(孔穎達)이 말했다. "위에서 '준(屯)은 가득함이다'라고 말한
것은 준괘가 건괘·곤괘 다음에 온다는 것을 풀이하였다. 그 말이
이미 끝난 뒤에 다시 '준(屯)은 만물이 처음 생겨나는 것이다'라고
말한 것은 아래의 '만물이 생겨나면 반드시 어리다'라는 말을 열어
곧바로 처음 생겨나는 뜻을 취한 뜻이지, 준괘의 명칭을 거듭 해석
한 것이 아니다."

---

9) 공영달 소(孔穎達 疏), 『주역주소(周易註疏)』 권13.

● 朱氏震曰 : "蒙, 冥昧也. 物生者必始於冥昧, 句萌胎卵, 是也. 故次之以蒙. 蒙, 童蒙也, 物如此稚也."[10]

주진(朱震)이 말했다. "몽(蒙)은 우매함이다. 만물이 생겨나면 반드시 우매함에서 시작하니, 초목의 여린 싹과 탯줄이나 알에서 막 태어난 조수(鳥獸)가 이것이다. 그러므로 몽괘를 그 다음으로 하였다. 몽은 철부지 아이이니 만물이 이와 같이 어린 것이다."

● 又曰 : "'飮食必有訟', 乾餱以愆, 豕酒生禍. 有血氣者, 必有爭心, 故次之以訟."[11]

(주진이) 또 말했다. "'음식에는 반드시 분쟁이 있다'는 것은 마른 밥 때문에 허물이 생기고 돼지고기와 술은 재앙을 낳는다는 말이다. 혈기가 있는 것은 반드시 다투는 마음이 있기 때문에 송괘를 그 다음으로 하였다."

10) 주진(朱震), 『한상역전(漢上易傳)』 권10.
11) 주진(朱震), 『한상역전(漢上易傳)』 권10.

> 訟必有衆起, 故受之以師. 師者, 衆也. 衆必有所比,
> 故受之以比. 比者, 比也.

분쟁은 반드시 여럿이 일어남이 있기 때문에 사(師)괘로 받았다. 사
(師)는 무리이다. 무리는 반드시 친하게 여기는 것이 있기 때문에
비(比)괘로 받았다. 비(比)는 친함이다.

集說

● 韓氏伯曰 : "衆起而不比, 則爭無由息. 必相親比, 而後得寧."[12]

한백(韓伯)이 말했다. "여럿이 일어나는데 친하게 여기지 않으면
다툼이 그칠 길이 없다. 반드시 서로 친밀한 뒤에 편안할 수 있다."

● 項氏安世曰 : "師・比二卦相反. 師取伍・兩・卒・旅・師・軍之
名, 比取比・閭・族・黨・州・鄕之名, 師以衆正爲義, 比以相親爲
主."[13]

항안세(項安世)가 말했다. "사괘와 비괘, 두 괘는 서로 반대이다.
사(師)는 오(伍 : 5명의 군사)・양(兩 : 25명의 군사)・졸(卒 : 100명

---

12) 한백(韓伯), 『주역주소(周易註疏)』 권13.
13) 항안세(項安世), 『주역완사(周易玩辭)』 권16.

의 군사)·여(旅 : 500명의 군사)·사(師 : 2,500명의 군사)·군(軍 : 12,500명의 군사)의 명칭에서 취했고, 비(比)는 비(比 : 5가구)·여(閭 : 25가구)·족(族 : 100가구)·당(黨 : 500가구)·주(州 : 2,500가구)·향(鄕 : 12,500가구)의 명칭에서 취했는데, 사는 무리가 바른 것을 의미로 삼았고, 비는 서로 친밀함을 위주로 하였다."

[서괘상 4]

> 比必有所畜, 故受之以小畜. 物畜然後有禮, 故受
> 之以履. 履而泰, 然後安, 故受之以泰.

친하면 반드시 모이는 것이 있기 때문에 소축(小畜)괘로 받았다. 만
물이 모인 뒤에 예(禮)가 있기 때문에 이(履)괘로 받았다. 실천하여
태평한 뒤에 편안하기 때문에 태(泰)괘로 받았다.

本義

晁氏云, ‘鄭無「而泰」二字.’

조씨(晁氏 : 晁說之)는 ‘정현(鄭玄)의 판본에는 ‘이이태(履而泰)’에서
‘이태(而泰)’라는 두 글자가 없다’고 하였다.

集說

● 姚氏信曰 : “安上治民, 莫善於禮. 有禮然後泰, 泰然後安也.”[14]

요신(姚信)이 말했다. “윗자리에 편안히 자리 잡아 백성을 잘 다스
리는 데는 예(禮)보다 좋은 것이 없다. 예가 있은 뒤에 태평하고 태
평한 뒤에 편안하다.”

....

14) 이정조(李鼎祚), 『주역집해(周易集解)』 권17에 요신(姚信)의 말로 기
재되어 있다.

● 項氏安世曰 : "履不訓禮, 人所履未有外於禮者. 外於禮, 則 非所當履, 故以履爲有禮也. 上天下澤, 亦有禮之名分焉."15)

항안세(項安世)가 말했다. "이(履)는 예(禮)로 풀이하지 않지만 사람 이 실천한 일은 예를 벗어난 것이 없다. 예를 벗어나면 마땅히 실천 해야 할 일이 아니기 때문에 이(履)를 예(禮)가 있는 것으로 여겼다. 상괘는 하늘이고 하괘는 못이니 또한 예가 있는 명분이 있다."

● 胡氏一桂曰 : "乾·坤至履十變, 陰陽之氣一周矣."16)

호일계(胡一桂)가 말했다. "건·곤괘에서 이괘까지 열 번 변하여 음 양의 기(氣)가 한 바퀴 돌았다."

15) 항안세(項安世), 『주역완사(周易玩辭)』 권16.
16) 동진경(董眞卿), 『주역회통(周易會通)』 권14에 호일계(胡一桂)의 말로 기재되어 있다.

泰者, 通也. 物不可以終通, 故受之以否. 物不可以
終否, 故受之以同人. 與人同者物必歸焉, 故受之
以大有. 有大者不可以盈, 故受之以謙. 有大而能
謙必豫, 故受之以豫.

태(泰)는 통함이다. 만물은 끝내 통할 수 없기 때문에 비(否)괘로
받았다. 만물은 끝내 막힐 수 없기 때문에 동인(同人)괘로 받았다.
남과 함께 하는 자는 만물이 반드시 돌아오기 때문에 대유(大有)괘로
받았다. 큰 것을 가진 자는 가득 채워서는 안 되기 때문에 겸(謙)괘로
받았다. 큰 것을 가지고도 겸손할 수 있으면 반드시 즐겁기 때문에
예(豫)괘로 받았다.

集說

● 郭氏雍曰 : "以謙有大, 則絶盈滿之累, 故優游不迫而暇豫
也."17)

곽옹(郭雍)이 말했다. "겸손함으로 큰 것을 가지면 가득 채우는 고
됨을 끊기 때문에 유유자적하게 급박하지 않아서 여유가 있다."

---

17) 곽옹(郭雍), 『곽씨전가역설(郭氏傳家易說)』 권10.

豫必有隨, 故受之以隨. 以喜隨人者必有事, 故受
之以蠱. 蠱者, 事也. 有事而後可大, 故受之以臨.
臨者, 大也.

즐거우면 반드시 따름이 있기 때문에 수(隨)괘로 받았다. 기쁨으로
남을 따르는 자는 반드시 일이 있기 때문에 고(蠱)괘로 받았다. 고
(蠱)는 일이다. 일이 있은 뒤에 커질 수 있기 때문에 임(臨)괘로 받았
다. 임(臨)은 큼이다.

集說

● 韓氏伯曰 : "可大之業, 由事而生."[18]

한백(韓伯)이 말했다. "큰 사업은 일로 말미암아 생겨난다."

● 朱氏震曰 : "以喜隨人, 必有所事. 臣事君, 子事父, 婦事夫,
弟子事師, 非樂於所事者, 其肯隨乎?"[19]

주진(朱震)이 말했다. "기쁘게 남을 따르면 반드시 일할 것이 있다.

....

18) 한백(韓伯), 『주역주소(周易註疏)』 권13.
19) 주진(朱震), 『한상역전(漢上易傳)』 권10.

신하가 임금을 섬기고, 자식이 부모를 섬기며, 아내가 남편을 섬기고, 제자가 스승을 섬김에 일을 하는 데 즐겁지 않다면 어찌 기꺼이 따를 수 있겠는가?"

● 項氏安世曰 : "蠱不訓事, 物壞則萬事生矣. 事因壞而起, 故以蠱爲事之先."[20]

항안세(項安世)가 말했다. "고(蠱)는 일로 풀이하지 않지만 만물이 무너지면 만사가 생겨난다. 일은 무너짐에 따라 일어나기 때문에 고(蠱)를 일에 앞선 것으로 삼는다."

● 又曰 : "臨不訓大, 大者以上臨下, 以大臨小. 凡稱臨者, 皆大者之事, 故以大釋之. 若豐者大也, 則眞訓大矣."[21]

(항안세가) 또 말했다. "임(臨)은 큼으로 풀이하지 않지만 큰 것은 윗자리로 아래에 임하고 큰 것으로 작은 것에 임한다. 무릇 임한다고 일컫는 것은 모두 큰 일이기 때문에 큼으로 그것을 해석하였다. 만약 풍성함을 큼으로 여긴다면 큼을 제대로 풀이한 것이다."

● 吳氏澄曰 : "因蠱之有事, 而後有臨之盛大也."[22]

오징(吳澄)이 말했다. "고(蠱)의 일이 있는 것 때문에 뒤에 임함의 성대함이 있다."

---

20) 항안세(項安世), 『주역완사(周易玩辭)』 권16.
21) 항안세(項安世), 『주역완사(周易玩辭)』 권16.
22) 오징(吳澄), 『역찬언(易纂言)』 권11.

物大然後可觀, 故受之以觀. 可觀而後有所合, 故
受之以噬嗑. 嗑者, 合也. 物不可以苟合而已, 故受
之以賁. 賁者, 飾也. 致飾然後亨則盡矣, 故受之以
剝. 剝者, 剝也.

만물이 커진 뒤에 볼 만하기 때문에 관(觀)괘로 받았다. 볼 만한
뒤에 합쳐지는 것이 있기 때문에 서합(噬嗑)괘로 받았다. 합(嗑)은
합쳐짐이다. 만물은 구차하게 합쳐져서 안되기 때문에 비(賁)괘로
받았다. 비(賁)는 꾸밈이다. 꾸밈을 지극히 한 뒤에 형통하면 다 발휘
하기 때문에 박(剝)괘로 받았다. 박(剝)은 깎이는 것이다.

集說

● 崔氏憬曰 : "言德業大者, 可以觀於人也."23)

최경(崔憬)이 말했다. "덕업이 크다고 말하는 것은 남에게 보여줄
만하다."

● 蘇氏軾曰 : "君臣·父子·夫婦·朋友之際, 所謂合也. 直情而行
謂之苟, 禮以飾情謂之賁. 苟則易合, 易則相瀆, 相瀆則易以離. 賁
則難合, 難合則相敬, 相敬則能久. 飾極則文勝而實衰, 故剝."24)

---

23) 이정조(李鼎祚),『주역집해(周易集解)』권5, 권17에 최경의 말로 실려 있다.

소식(蘇軾)이 말했다. "임금과 신하, 부모와 자식, 남편과 아내, 친구간의 관계가 이른바 합쳐진 것이다. 정(情)을 곧바로 행하는 것을 구차하다고 말하고, 정을 예로 꾸미는 것을 비(賁 : 꾸밈)라고 말한다. 구차하면 쉽게 합쳐지지만 쉬우면 서로 업신여기고, 서로 업신여기면 쉽게 헤어진다. 꾸미면 합쳐지기 어렵지만 어렵게 합쳐지면 서로 공경하고, 서로 공경하면 오래갈 수 있다. 꾸밈이 극진하면 문체가 지나쳐 실질이 쇠퇴하기 때문에 깎여진다."

● 張氏栻曰 : "賁飾則貴於文, 文之太過, 則又滅其質而有所不通, 故致飾則亨有所盡."[25]

장식(張栻)[26]이 말했다. "꾸밈은 문채를 귀하게 여기지만, 문채가 너무 지나치면 또 그 바탕을 없애버려 통하지 않는 것이 있기 때문에 꾸밈을 지극히 하면 형통함이 다함이 있다."

....

24) 소식(蘇軾), 『동파역전(東坡易傳)』 권9.
25) 장식(張栻), 『남헌역설(南軒易說)』 권3.
26) 장식(張栻, 1133~1180) : 자는 경부(敬夫) 또는 낙재(樂齋)이고 호는 남헌(南軒)이다. 남송(南宋) 한주 면죽(漢州綿竹 : 현 사천성 면죽〈綿竹〉) 사람이다. 주자, 여조겸(呂祖謙)과 함께 남송의 '동남 삼현(東南三賢)'이라고 불렸다. 아버지 장준(張浚)이 송의 승상을 지내고 위국공(魏國公)에 봉해졌기 때문에 그도 일찍이 출사하여 이부시랑(吏部侍郎) 겸 시강(侍講), 비각수찬(秘閣修撰), 우문전수찬(右文殿修撰) 등을 역임하였으나, 잦은 직언 때문에 퇴임했다. 어려서는 가학을 이어 받았고, 성장하여 호굉(胡宏)에게 배워 호상학파(湖湘學派)의 학술을 정립시켰다. 저서에 『남헌집(南軒集)』, 『남헌역설(南軒易說)』, 『계사논어해(癸巳論語解)』 등이 있다.

> 物不可以終盡, 剝窮上反下, 故受之以復. 復則不
> 妄矣, 故受之以無妄. 有無妄然後可畜, 故受之以
> 大畜.

만물은 끝내 다 없앨 수 없으니, 깎여지는 것이 위에서 다하면 아래
로 돌아오기 때문에 복(復)괘로 받았다. 회복하면 망령되지 않기 때
문에 무망(无妄)괘로 받았다. 망령됨이 없어진 뒤에 쌓을 수 있기
때문에 대축(大畜)괘로 받았다.

集說

● 崔氏憬曰 : "物復其本, 則爲誠實, 故言復則無妄矣."[27]

최경(崔憬)이 말했다. "만물이 그 근본을 회복하면 성실하게 되기
때문에 회복을 말하면 망령됨이 없다."

● 周子曰 : "不善之動, 妄也, 妄復則無妄矣. 無妄則誠矣, 故無
妄次復."[28]

---

27) 이정조(李鼎祚), 『주역집해(周易集解)』 권6, 권17에 최경의 말로 실려 있다.
28) 주돈이(周敦頤), 『염계집(濂溪集)』 「통서(通書)」 「건손익동(乾損益動)」
제31장.

주자(周子 : 周敦頤)가 말했다. "선하지 않은 행동이 망령됨이고, 망령됨이 회복되면 망령됨이 없어진다. 망령됨이 없으면 성실하기 때문에 무망괘가 복괘 다음이다."

● 郭氏忠孝曰 : "健爲天德, 大畜止健. 畜天德也, 故曰'剛健篤實輝光, 日新其德.' 不能畜天德, 則見於有爲者, 不能無妄, 故天德止於大畜, 而動於無妄也."[29]

곽충효(郭忠孝)가 말했다. "강건함은 하늘의 덕이 되고, 크게 쌓는 것은 강건함에 그친다. 하늘의 덕을 쌓기 때문에 '굳세고 강건하며 돈독하며 진실하여 빛이 나서, 그 덕을 날로 새롭게 한다'라고 했다. 하늘의 덕을 쌓을 수 없으면 일하는 데서 나타나는 것이 망령됨이 없을 수 없기 때문에 하늘의 덕은 크게 쌓는 데서 그치고, 망령됨이 없는 데서 움직인다."

● 閻氏彦升曰 : "'無妄然後可畜', 所畜者在德, 故曰大."[30]

염언승(閻彦升)[31]이 말했다. "'망령됨이 없어진 뒤에 쌓을 수 있고' 쌓은 것이 덕이기 때문에 크다고 말했다."

● 余氏芑舒曰 : "自有事而大, 大而可觀, 可觀而合, 合而飾, 所

---

29) 방문일(方聞一) 편, 『대역수언(大易粹言)』 권72.
30) 동진경(董眞卿), 『주역회통(周易會通)』 권14에 염언승(閻彦升)의 말로 기재되어 있다.
31) 염언승(閻彦升) :

謂忠信之薄而僞之始也. 故一變而爲剝, 剝而復, 則眞實獨存而
不妄矣."

여기서(余芑舒)가 말했다. "일이 있는 것으로부터 커지고, 크면 볼
만 하며, 볼만하면 합쳐지고, 합쳐지면 꾸미니 이른바 충신(忠信)이
엷어지고 거짓이 시작된다는 것이다. 그러므로 한 번 변하여 깎여
지고, 깎여짐이 회복되면 진실이 홀로 보존되어 망령되지 않는다."

● 何氏楷曰 : "不妄與無妄當辨, 由不以妄然後能無妄也."[32]

하해(何楷)가 말했다. "망령되지 않는 것과 망령됨이 없는 것은 분
별해야 하니, 망령되지 않은 뒤에 망령됨이 없을 수 있다."

----

32) 하해(何楷), 『고주역정고(古周易訂詁)』 권15.

物畜然後可養, 故受之以頤. 頤者, 養也. 不養則不
可動, 故受之以大過. 物不可以終過, 故受之以坎.
坎者, 陷也. 陷必有所麗, 故受之以離. 離者, 麗也.

만물이 쌓인 뒤에 기를 수 있기 때문에 이(頤)괘로 받았다. 이(頤)는
기름이다. 기르지 않으면 움직일 수 없기 때문에 대과(大過)괘로 받
았다. 만물은 끝내 지나쳐서는 안 되기 때문에 감(坎)괘로 받았다.
감(坎)은 빠짐이다. 빠지면 반드시 걸리는 것이 있기 때문에 리(離)
괘로 받았다. 리(離)는 걸림이다.

集說

● 蘇氏軾曰 : "養而不用, 其極必動; 動而不已, 其極必過."[33]

소식(蘇軾)이 말했다. "기르고 쓰지 않으면 그 극한에는 반드시 움
직이며, 움직이고 그치지 않으면 그 극한에는 반드시 허물이 있다."

● 閻氏彦升曰 : "養者君子所以成己, 動者君子所以應物. 然君
子處則中立, 動則中行, 豈求勝物哉? 及其應變, 則有時或過, 故
受之以大過."[34]

---

33) 소식(蘇軾), 『동파역전(東坡易傳)』 권9.
34) 동진경(董眞卿), 『주역회통(周易會通)』 권14에 염언승(閻彦升)의 말로

염언승(閻彦升)이 말했다. "기르는 일은 군자가 그것으로 자신을 완성하는 것이고, 움직이는 일은 군자가 그것으로 사물에 대응하는 것이다. 그러나 군자는 가만히 있을 때 적절함에 서고 움직일 때 적절하게 행동하는데 어찌 사물을 이기기를 구하겠는가? 그 대응하여 변할 때가 되면 때에 따라 간혹 잘못되기 때문에 대과괘로 받았다."

● 林氏希元曰 : "不專一則不能直遂, 不翕聚則不能發散. 故必有養然後能動, 不養則不可以動. 孟子曰, '人有不爲也, 而後可以有爲', 卽此理也. 故受之以大過, 大過卽動也. 以大過之才, 當大過之時, 而行大過之事, 是之謂動而本於養也."35)

임희원(林希元)이 말했다. "전일하지 않으면 순조롭게 성공할 수 없고, 모으지 않으면 발산할 수 없다. 그러므로 반드시 기름이 있은 다음에 움직일 수 있으니, 기르지 않으면 움직일 수 없다. 맹자가 '사람은 하지 않는 것이 있은 다음에 작위할 수 있다.'36)라고 말한 것이 바로 이 이치이다. 그러므로 대과괘로 받았으니 크게 지나침은 곧 움직임이다. 크게 지나칠 수 있는 재주를 가지고 크게 지나친 때를 만나 크게 지나친 일을 행함을 움직이되 기르는 것에 근본을 둔다고 말한다."

● 姜氏寶曰 : "無所養則其體不立, 不可擧動以應大事. 惟養充

기재되어 있다.

35) 임희원(林希元), 『역경존의(易經存疑)』 권1.
36) 사람은 하지 않는 것이 있은 다음에 작위할 수 있다 : 『맹자』「이루(離婁)하」.

而動, 動必有大過人者矣."

강보(姜寶)가 말했다. "기르는 것이 없으면 그 본체가 세워지지 않으니 거동하여 큰일에 대응할 수 없다. 오직 충만하게 길러서 움직여야 움직임이 반드시 크게 지나친 사람이 될 수 있을 것이다."

有天地, 然後有萬物; 有萬物, 然後有男女; 有男
女, 然後有夫婦; 有夫婦, 然後有父子; 有父子, 然
後有君臣; 有君臣, 然後有上下; 有上下, 然後禮義
有所錯. 夫婦之道, 不可以不久也, 故受之以恒. 恒
者, 久也.

하늘과 땅이 있은 뒤에 만물이 있고, 만물이 있은 뒤에 남성과 여성
이 있으며, 남성과 여성이 있은 뒤에 남편과 아내가 있고, 남편과
아내가 있은 뒤에 부모와 자식이 있으며, 부모와 자식이 있은 뒤에
임금과 신하가 있고, 임금과 신하가 있은 뒤에 위와 아래가 있으며,
위와 아래가 있은 뒤에 예의(禮義)가 시행될 곳이 있다. 남편과 아내
의 도(道)는 오래하지 않을 수 없기 때문에 항(恒)괘로 받았다. 항
(恒)은 오래함이다.

集說

● 干氏寶曰：“此詳言人道三綱·六紀有自來也. 人有男女陰陽
之性, 則自然有夫婦配合之道. 陰陽化生, 血體相傳, 則自然有
父子之親. 以父立君, 以子資臣, 則必有君臣之位. 有君臣之位,
故有上下之序. 有上下之位, 則必禮以定其體, 義以制其宜. 明
先王制作, 蓋取之於情者也.

간보(干寶)가 말했다. “이는 사람의 도리에서 삼강(三綱)과 육기(六

紀)1)가 유래가 있음을 자세하게 말한 것이다. 사람은 남성과 여성, 음과 양의 성(性)을 지니고 있으니, 자연스럽게 남편과 아내로 짝을 지어 결합하는 도리가 있다. 음과 양이 화(化)하여 낳고 피와 몸이 서로 전하면 저절로 부모와 자식의 친함이 있게 된다. 부모를 군주로 세우고 자식을 신하로 삼으니 반드시 임금과 신하의 지위가 있게 된다. 임금과 신하의 지위가 있기 때문에 위와 아래의 차례가 있게 된다. 위와 아래의 지위가 있으면 반드시 예(禮)로 그 체제를 확정하고 의(義)로 그 마땅함을 제정한다. 이는 선왕(先王)이 예를 제작함이 정(情)에서 취했음을 밝힌 것이다.

「上經」始於乾·坤, 有生之本也; 「下經」始於咸·恒, 人道之首也. 易之興也, 當殷之末世, 有妲己之禍, 當周之盛德, 有三母之功. 以言天不地不生, 夫不婦不成, 相須之至, 王教之端. 故『詩』以「關雎」爲「國風」之始, 而『易』於咸·恒, 備論禮義所由生也."2)

「상경」이 건괘·곤괘로 시작하는 것은 생명이 있게 된 근본이고, 「하경」이 함(咸)괘·항(恒)괘로 시작하는 것은 사람의 도리가 첫머리이기 때문이다. 역의 흥성은 은나라 말기에 달기(妲己 : 주왕(紂王)의 총애하던 왕비[寵妃])의 재앙이 있었고 주나라의 덕이 융성할 때 삼모(三母)3)의 공로가 있었을 때이다. 그것으로 하늘은 땅이 아

1) 육기(六紀) : 반고(班固), 『백호통(白虎通)』「삼강육기(三綱六紀)」에 "[六紀者, 謂諸父·兄弟·族人·諸舅·師長·朋友也.]"라 하였고, 『예기』「악기(樂記)」공영달 소(疏)에 "[六紀, 謂諸父有善, 諸舅有義, 族人有敍, 昆弟有親, 師長有尊, 朋友有舊, 是六紀也.]"라고 하였다.

2) 이정조(李鼎祚), 『주역집해(周易集解)』권17에 간보(干寶)의 말로 기재되어 있다.

3) 삼모(三母) : 삼모(三母)는 후직(后稷)의 어머니 강원(姜嫄)과 문왕(文王)

니면 만물을 낳을 수 없고 남편은 아내가 아니면 이루지 못함을 말한 것은 서로 따르는 것의 지극함이고 왕의 가르침의 단서이다. 그러므로 『시경』에서는 「관저(關雎)」를 「국풍(國風)」의 시작으로 하였고, 『역』에서는 함괘와 항괘로 예(禮)와 의(義)가 생겨나는 근거를 자세히 논했다."

● 『朱子語類』, 問 : "'禮義有所錯', '錯'字陸氏兩音, 如何?" 曰 : 只是作'措'字, 謂禮義有所設施耳."[4]

『주자어류』에서 물었다. "'예의(禮義)가 시행될 곳이 있다'에서, '조(錯 : 시행됨)'자에 육씨(陸氏)는 음을 둘로 했는데, 어떻습니까?" (주자가) 대답했다. "다만 '조(措 : 두다)'자로 쓸 뿐이니, 예의가 시행될 곳이 있다는 것을 말할 뿐이다."

● 吳氏澄曰 : "此言咸所以爲「下經」之首也. 夫婦謂咸卦, 先言天地萬物男女者, 有夫婦之所由也. 後言父子·君臣·上下者, 有夫婦之所致也. 有夫婦, 則其所生爲父子. 由家而國, 雖非父子也, 而君尊臣卑之分, 如父子也. 由國而天下, 雖非君臣, 而上貴下賤之分, 如君臣也. 禮義所以分別尊卑·貴賤之等. 錯, 猶置也. 乾·坤·咸不出卦名者, 以其爲「上·下經」之首卦, 特別言之."[5]

오징(吳澄)이 말했다. "이는 함괘가 「하경」의 첫머리가 되는 까닭을 말했다. 남편과 아내는 함괘를 말하는데 먼저 하늘과 땅, 만물,

<hr />

의 어머니 태임(大任)과 무왕(武王)의 어머니 태사(大姒)를 가리킨다.

4) 주희, 『주자어류』 권77, 68조목.
5) 오징(吳澄), 『역찬언(易纂言)』 권11.

남성과 여성을 말한 것은 남편과 아내가 말미암는 곳이 있다는 뜻
이다. 뒤에 부모와 자식, 임금과 신하, 위와 아래를 말한 것은 남편
과 아내로 인해 생겨난 것이 있다는 뜻이다. 남편과 아내가 있으면
거기에서 생겨나는 것이 부모와 자식이다. 집안에서 말미암아 나라
가 되면 비록 부모와 자식 관계는 아니지만 임금이 높고 신하가 낮
은 구분은 마치 부모와 자식의 관계와 같다. 나라에서 말미암아 천
하가 되면 비록 임금과 신하의 관계는 아니지만 윗사람이 귀하고
아랫사람이 천한 구분은 마치 임금과 신하의 관계와 같다. 예의는
그것으로 높음과 낮음, 귀함과 천함의 등급을 분별하는 일이다. 조
(錯)는 둔다는 말과 같다. 건괘와 곤괘 및 함괘에 대해 괘의 명칭을
드러내지 않은 것은 「상경」과 「하경」의 첫괘가 되기 때문에 특별히
말했다."

物不可以久居其所, 故受之以遯. 遯者, 退也. 物不可以終遯, 故受之以大壯. 物不可以終壯, 故受之以晉. 晉者, 進也. 進必有所傷, 故受之以明夷. 夷者, 傷也. 傷於外者必反其家, 故受之以家人.

만물은 제자리에 오랫동안 머물 수 없기 때문에 돈(遯)괘로 받았다. 돈(遯)은 물러남이다. 만물은 끝까지 물러날 수 없기 때문에 대장(大壯)괘로 받았다. 만물은 끝까지 장성할 수 없기 때문에 진(晉)괘로 받았다. 진(晉)은 나아감이다. 나아가면 반드시 손상됨이 있기 때문에 명이(明夷)괘로 받았다. 이(夷)는 손상됨이다. 밖에서 손상된 자는 반드시 그 집으로 돌아오기 때문에 가인(家人)괘로 받았다.

集說

● 郭氏忠孝曰: "'傷乎外者必反其家', 蓋行有不得於人, 則反求諸己."[6]

곽충효(郭忠孝)가 말했다. "'밖에서 손상된 자는 반드시 그 집으로 돌아온다'는 것은 행하여 남에게서 얻지 못하면 되돌려 자신에게서 구하기 때문이다."

....

6) 곽옹(郭雍), 『곽씨전가역설(郭氏傳家易說)』 권6.

● 閻氏彦升曰 : "知進而已, 不知消息盈虛, 與時偕行, 則傷之者至矣. 故受之以明夷. 以利合者, 迫窮禍患害相棄也; 以天屬者, 迫窮禍患害相收也. 明夷之傷, 豈得不反於家人乎?"7)

염언승(閻彦升)이 말했다. "나아갈 줄만 알 뿐, 줄어듦과 불어남, 채워짐과 비워짐에 때에 따라 함께 행할 줄 모르면 그것을 해치는 자가 이를 것이다. 그러므로 명이괘로 받았다. 이익으로 결합한 자는 곤궁·재앙·환난·피해를 만나면 서로 버리고, 친속은 곤궁·재앙·환난·피해를 만나면 서로 거두어준다. 명이괘의 손상됨이 있는데 어찌 집안사람으로 돌아오지 않을 수 있겠는가?"

● 何氏楷曰 : "晉與漸皆進, 進必有歸者, 先以艮, 進必有傷者, 先以壯也."8)

하해(何楷)가 말했다. "진(晉)괘와 점(漸)괘는 모두 나아가는 일이지만, 나아가 반드시 돌아옴이 있는 자는 먼저 한정하고, 나아가서 반드시 손상을 입는 자는 먼저 장성한다."

---

7) 동진경(董眞卿), 『주역회통(周易會通)』 권14에 염언승(閻彦升)의 말로 기재되어 있다.
8) 하해(何楷), 『고주역정고(古周易訂詁)』 권4.

[서괘하 3]

家道窮必乖, 故受之以睽. 睽者, 乖也. 乖必有
難, 故受之以蹇. 蹇者, 難也. 物不可以終難, 故
受之以解. 解者, 緩也.

집안의 도(道)는 곤궁하면 반드시 어그러지기 때문에 규(睽)괘로
받았다. 규(睽)는 어그러짐이다. 어그러지면 반드시 어려움이 있
기 때문에 건(蹇)괘로 받았다. 건(蹇)은 어려움이다. 만물은 끝까
지 어려울 수 없기 때문에 해(解)괘로 받았다. 해(解)는 늦춤이다.

集說

● 周子曰 : "家人離必起於婦人, 故睽次家人. 以二女同居而志
不同行也."9)

주자(周子 : 周敦頤)가 말했다. "집안사람이 헤어지는 것은 반드시
부인에게서 일어나기 때문에 규괘가 가인괘 다음이다. 두 여자가
동거함에 뜻이 같이 행하지 못하기 때문이다."

● 『朱子語類』, 問 : "'緩'字, 恐不是遲緩之'緩', 乃是懈怠之意, 故
曰'解, 緩也.'" 曰 : "緩是散漫意." 問 : "如縱弛之類?" 曰 : "然."10)

---

9) 주돈이(周敦頤), 『염계집(濂溪集)』「통서(通書)」「가인규복무망(家人睽
復无妄)」제32장.

『주자어류』에서 물었다. "'늦춤[緩]'이라는 글자는 '완만하다'는 뜻이 아니라 '풀어지다'는 뜻이기 때문에 '해(解)는 늦춤이다'라고 말한 것 같습니다."

(주자가) 대답했다. "늦춤은 산만하다는 뜻이다."

물었다. "느슨해지는 것과 같은 부류입니까?"

(주자가) 대답했다. "그렇다."

● 項氏安世曰 : "凡言屯者, 皆以爲難, 而蹇又稱難者. 卦皆有坎也, 然屯動乎險中, 行乎患難者也. 蹇見險而止, 但爲所阻難, 而不得前耳, 非患難之難也. 故居屯者, 必以經綸濟之, 遇蹇者, 待其解緩而後前."11)

항안세(項安世)가 말했다. "무릇 준(屯☳)괘를 말하는 자들 모두 어려움으로 여기는데 건(蹇☶)괘도 어려움으로 일컫는다. 두 괘에 모두 감(坎☵)괘가 있지만 준괘는 험난함 속에서 움직이니 환난에서 행하는 자이다. 건괘는 험난함을 보고 멈추니, 막히고 어렵게 되어 앞으로 나아갈 수 없을 뿐 환난의 어려움이 아니다. 그러므로 준괘에 자리 잡은 자는 반드시 경륜(經綸)으로 그것을 구제해야 되고, 건괘를 만난 자는 느슨해지기를 기다린 뒤에 앞으로 나아가야 한다."

---

10) 주희, 『주자어류』 권77, 69조목.

11) 항안세(項安世), 『주역완사(周易玩辭)』 권16.

[서괘하 4]

緩必有所失, 故受之以損. 損而不已必益, 故受之
以益. 益而不已必決, 故受之以夬. 夬者, 決也. 決
必有所遇, 故受之以姤. 姤者, 遇也.

늦추면 반드시 잃는 것이 있기 때문에 손(損)괘로 받았다. 덜어내고
그치지 않으면 반드시 더하기 때문에 익(益)괘로 받았다. 더하고 그
치지 않으면 반드시 터지기 때문에 쾌(夬)괘로 받았다. 쾌(夬)는 터
짐이다. 터지면 반드시 만나는 것이 있기 때문에 구(姤)괘로 받았다.
구(姤)는 만남이다.

集說

● 朱氏震曰 : "益久必盈, 盈則必決, 堤防是已, 故次之以夬."[12]

주진(朱震)이 말했다. "더함이 오래되면 반드시 가득 차고, 가득차
면 반드시 터지니 제방이 이것이다. 그러므로 쾌괘를 그 다음으로
하였다."

● 胡氏一桂曰 : "咸·恒十變爲損·益, 亦猶乾·坤十變爲否·泰
也."[13]

....

12) 주진(朱震), 『한상역전(漢上易傳)』 권10.
13) 심기원(沈起元), 『주역공의집설(周易孔義集說)』 권20에 호일계(胡一

호일계(胡一桂)가 말했다. "함괘와 항괘가 열 번 변하여 손괘와 익괘가 되는 것은 또한 마치 건괘와 곤괘가 열 번 변하여 비괘와 태괘가 되는 것과 같다."

● 俞氏琰曰 : "損益盛衰, 若循環然. 損而不已, 天道復還, 故必益. 益而不已, 則所積滿盈, 故必決, 此乃理之常也. 損之後繼以益, 深谷爲陵之意也. 益之後繼以夬, 高岸爲谷之意也."[14]

유염(俞琰)이 말했다. "덜어냄과 더함, 성대함과 쇠퇴함은 마치 순환하는 것과 같다. 덜어내기만 하고 그치지 않으면 천도가 다시 돌아오기 때문에 반드시 더한다. 더하기만 하고 그치지 않으면 쌓은 것이 가득 차기 때문에 반드시 터지니, 이것이 바로 불변하는 이치이다. 손괘 뒤에 익괘로 이어지는 것은 깊은 계곡이 구릉이 된다는 뜻이다. 익괘 뒤에 쾌괘로 이어지는 것은 높은 언덕이 계곡이 된다는 뜻이다."

桂)의 말로 기재되어 있다.
14) 유염(俞琰), 『주역집설(周易集說)』 권39.

> 物相遇而後聚, 故受之以萃. 萃者, 聚也. 聚而上者
> 謂之升, 故受之以升. 升而不已必困, 故受之以困.
> 困乎上者必反下, 故受之以井.

만물이 서로 만난 뒤에 모이기 때문에 췌(萃)괘로 받았다. 췌(萃)는
모이는 것이다. 모여서 올라가는 것을 오른다[升]고 말하기 때문에
승(升)괘로 받았다. 올라가고 그치지 않으면 반드시 곤경에 처하기
때문에 곤(困)괘로 받았다. 위에 곤경에 처한 자는 반드시 아래로
돌아오기 때문에 정(井)괘로 받았다.

集說

● 崔氏憬曰 : "'冥升在上'則窮, 故言'升而不已必困'也."[15]

최경(崔憬)이 말했다. "'올라가는 것이 어둡게 되었는데도 위에 있
으면' 곤궁하기 때문에 '올라가고 그치지 않으면 반드시 곤경에 처
한다'라고 말했다."

● 張氏栻曰 : "天下之物, 散之則小, 合而聚之, 則積小以成其
高大, 故聚而上者爲升也."[16]

....

15) 심기원(沈起元), 『주역공의집설(周易孔義集說)』 권20에 최경의 말로 실
려 있다.

장식(張栻)이 말했다. "천하의 만물은 흩트리면 작아지고 합치면 모이니, 작은 것을 모아 높고 큰 것을 이루기 때문에 모여 올라가는 것이 오른대[升]는 뜻이 된다."

● 項氏安世曰 : "物相遇而聚者, 彼此之情交相會也, 以衆言之也. 比而有所畜者, 繫而止之也, 自我言之也. 畜有止而聚之義, 聚者不必止也."[17]

항안세(項安世)가 말했다. "만물이 서로 만나 모이는 것은 피차의 정(情)이 교류하여 서로 모이는 것이니 무리로 말하였다. 가까이하여 쌓음이 있는 것은 매여서 그치니 자기로부터 말한 것이다. 쌓음에는 그치고 모이는 의미가 있으니, 모이는 것이 반드시 그치지는 않는다."

---

16) 장식(張栻), 『남헌역설(南軒易說)』 권3.
17) 항안세(項安世), 『주역완사(周易玩辭)』 권16.

[서괘하 6]

井道不可不革, 故受之以革.

우물의 도(道)는 변혁하지 않을 수 없기 때문에 혁(革)괘로 받았다.

集說

● 朱氏震曰 : "井在下者也, 井久則穢濁不食. 治井之道, 革去
其古井者而已."[18]

주진(朱震)이 말했다. "우물은 아래에 있는 것이니 우물이 오래되
면 더럽고 흐려져 마실 수 없다. 우물을 관리하는 방법은 옛 우물
을 없애버리는 것일 뿐이다."

---

18) 주진(朱震), 『한상역전(漢上易傳)』 권10.

革物者莫若鼎, 故受之以鼎. 主器者莫若長子, 故
受之以震. 震者, 動也. 物不可以終動, 止之, 故受
之以艮. 艮者, 止也. 物不可以終止, 故受之以漸.
漸者, 進也. 進必有所歸, 故受之以歸妹. 得其所歸
者必大, 故受之以豐. 豐者, 大也.

만물을 변혁하는 것은 가마솥만 한 것이 없기 때문에 정(鼎)괘로
받았다. 기물(器物)을 주관하는 자는 장자(長子)만 한 자가 없기 때
문에 진(震)괘로 받았다. 진(震)은 움직임이다. 만물은 끝까지 움직
일 수 없어 멈추기 때문에 간(艮)괘로 받았다. 간(艮)은 멈춤이다.
만물은 끝내 멈출 수 없기 때문에 점(漸)괘로 받았다. 점(漸)은 나아
감이다. 나아가면 반드시 돌아오는 것이 있기 때문에 귀매(歸妹)괘
로 받았다. 돌아갈 곳을 얻은 자는 반드시 커지기 때문에 풍(豐)괘로
받았다. 풍(豐)은 큼이다.

集說

● 閤氏彦升曰 : "'晉者進也, 進必有所傷', '漸者進也, 進必有歸',
何也? 曰, '晉所謂進者, 有進而已, 此進必有傷也. 漸之所謂進
者, 漸進而已, 烏有不得所歸者乎?'"19)

....

19) 반사조(潘士藻), 『독역술(讀易述)』 권16에 염언승(閤彦升)의 말로 기재
되어 있다.

염언승(閻彦升)이 말했다. "'진(晉)은 나아감이고, 나아가면 반드시 손상됨이 있다'라고 하였는데, '점(漸)은 나아감이고, 나아가면 반드시 돌아오는 것이 있다'는 말은 무엇 때문인가? 대답한다. '진(晉)에서 말하는 나아감은 나아감만 있을 뿐이니, 이 나아감은 반드시 손상됨이 있다. 점(漸)에서 말하는 나아감은 점차적으로 나아갈 뿐이니, 어찌 돌아오는 것을 얻지 못함이 있겠는가?'"

● 朱氏震曰 : "前曰'與人同者物必歸焉, 故受之以大有', 此曰'得其所歸者必大.' 大有次同人者, 處大之道也; 豐次歸妹者, 致大之道也."[20]

주진(朱震)이 말했다. "앞에서 '남과 함께 하는 자는 만물이 반드시 돌아오기 때문에 대유(大有)괘로 받았다'라고 말했는데, 여기에서는 '돌아갈 곳을 얻은 자는 반드시 커진다'고 말했다. 대유괘가 동인괘 다음에 오는 것은 큰 것에 처하는 도(道)이고, 풍괘가 귀매괘 다음에 오는 것은 큰 것에 이르는 도이다."

案

'得其所歸', 猶言得其所依歸也. 婦得賢夫而配之, 臣得聖君而事之, 皆得其所歸之謂. 故同人之物必歸焉者, 人歸己也; 此之得其所歸者, 己歸人也. 兩者皆足以致事業之大.

'돌아갈 곳을 얻는다'는 것은 마치 의귀할 곳을 얻는다는 말과 같다. 여자가 현명한 장부를 얻어 짝이 되고, 신하가 성군을 얻어 그

----

20) 주진(朱震), 『한상역전(漢上易傳)』 권10.

를 섬기는 것이 모두 돌아갈 곳을 얻는다는 뜻을 말한다. 그러므로 동인괘에서 만물이 반드시 돌아온다고 한 것은 남이 자기에게 돌아오는 일이며, 여기에서 돌아갈 곳을 얻는다는 것은 자기가 남에게 돌아가는 일이다. 그 둘은 모두 큰 사업을 이루기에 충분하다.

窮大者必失其居, 故受之以旅. 旅而無所容, 故受
之以巽. 巽者, 入也.

큰 것을 끝까지 추구하는 자는 반드시 그 거처를 잃기 때문에 여(旅)
괘로 받았다. 나그네가 되면 받아들여질 곳이 없기 때문에 손(巽)괘
로 받았다. 손(巽)은 들어감이다.

集說

● 郭氏雍曰 : "動極而止, 止極復進, 進極必傷. 進以漸則有歸,
歸得其所則大. 窮其大則必失, 蓋非有大以謙故也."21)

곽옹(郭雍)이 말했다. "움직임이 극진하면 멈추고, 멈춤이 극진하면
다시 나아가며, 나아감이 극진하면 반드시 손상된다. 점차적으로
나아가면 돌아옴이 있으니 돌아와 제자리를 얻으면 크다. 큰 것을
끝까지 추구하면 반드시 잃으니, 겸손함으로 큰 것을 가지지 않았
기 때문이다."

● 張氏栻曰 : "旅者親寡之時, 無所容也. 唯巽然後得所入, 故
受之以巽, 而巽者入也."22)

장식(張栻)이 말했다. "나그네는 친한 이가 적은 때이니, 받아들여
질 곳이 없다. 오직 겸손한 뒤에야 들어갈 곳을 얻기 때문에 손
(巽)괘로 받았으니, 손(巽)은 들어감이다."

21) 곽옹(郭雍), 『곽씨전가역설(郭氏傳家易說)』 권10.
22) 장식(張栻), 『남헌역설(南軒易說)』 권3.

장식(張栻)이 말했다. "나그네는 친한 사람이 적을 때 받아들여질 곳이 없다. 오직 겸손한 뒤에 들어갈 곳을 얻기 때문에 손괘로 받았고, 손(巽)은 들어감이다."

● 俞氏琰曰 : "大而能謙則豫.   大而至於窮極,   則必失其所安, 故豐後繼以旅."[23]

유염(俞琰)이 말했다. "크면서도 겸손할 수 있으면 즐겁다. 커서 궁극에 이르면 반드시 편안한 곳을 잃기 때문에 풍괘 뒤에 여(旅)괘로 이었다."

---

23) 유염(俞琰), 『주역집설(周易集說)』 권39.

入而後說之, 故受之以兌. 兌者, 說也. 說而後散
之, 故受之以渙. 渙者, 離也.

들어간 뒤에 기뻐하기 때문에 태(兌)괘로 받았다. 태(兌)는 기뻐함이
다. 기뻐한 뒤에 흩어지기 때문에 환(渙)괘로 받았다. 환(渙)은 떠남
이다.

集說

● 張氏栻曰 : "入於道, 故有見而說. 故巽而受之以兌. 唯說於
道, 故推而及人. 說而後散, 故受之以渙."[24]

장식(張栻)이 말했다. "도(道)에 들어가기 때문에 아는 것이 있어
기쁘다. 그러므로 겸손하여 태괘로 받았다. 오직 도를 기뻐하기 때
문에 미루어서 남에게 미친다. 기뻐한 뒤에 흩어지기 때문에 환괘
로 받았다."

● 項氏安世曰 : 人之情, 相拒則怒, 相入則說, 故入而後說之."[25]

항안세(項安世)가 말했다. "사람의 정은 서로 거부하면 노여워하고
서로 받아들이면 기뻐하기 때문에 받아들인 뒤에 기뻐한다."

---

24) 장식(張栻), 『남헌역설(南軒易說)』권3.
25) 항안세(項安世), 『주역완사(周易玩辭)』권16.

[서괘하 10]

物不可以終離, 故受之以節. 節而信之, 故受之以
中孚. 有其信者必行之, 故受之以小過.

만물은 끝내 떠날 수 없기 때문에 절(節)괘로 받았다. 절도를 지켜
그것을 믿기 때문에 중부(中孚)괘로 받았다. 믿음을 가지고 있는 자
는 반드시 실행하기 때문에 소과(小過)괘로 받았다.

集說

● 韓氏伯曰: "孚, 信也. 旣已有節, 則宜信以守之. 守其信者,
則失貞而不諒之道, 而以信爲過, 故曰小過也."[26]

한백(韓伯)이 말했다. "부(孚)는 믿음이다. 이미 절도가 있으면 마
땅히 믿어 그것을 지킨다. 그 믿음을 지키는 자는 정고(貞固)함을
지키고 작은 신의에 집착하지 않는 도(道)를 잃어 그 믿음이 지나
치기 때문에 작은 허물이라고 한다."

● 項氏安世曰: "'有其信', 猶『書』所謂'有其善', 言以此自負而
居有之也. 自恃其信者, 其行必果而過於中."[27]

---

26) 한백(韓伯), 『주역주소(周易註疏)』 권13.
27) 항안세(項安世), 『주역완사(周易玩辭)』 권16.

항안세(項安世)가 말했다. "'믿음을 가지고 있다'는 것은 마치 『서경』에서 이른바 '선을 가지고 있다고 여기다'[28]라고 한 것과 같으니, 이것으로 자부하여 그것을 가지고 있음에 머무르는 것을 말한다. 그 믿음을 자부하는 자는 그 행위가 반드시 과감하여 적절함을 넘어선다."

● 吳氏澄曰 : "過者行·動而踰越之也, 故大過云動, 小過云行. 凡行動未至其所爲未及, 旣至其所爲至. 旣至而又動又行, 則爲踰越其所至之地而過也."[29]

오징(吳澄)이 말했다. "지나친 자는 그 행위와 움직임이 정도를 넘어서기 때문에 대과괘에서는 움직임을 말했고, 소과괘에서는 행위를 말했다. 무릇 행위와 움직임이 이르지 않으면 그 하는 일이 미치지 못하고, 이미 이르렀으면 그 하는 일이 이른다. 이미 그 하는 일이 이르렀는데 또 움직이고 행위하면 그 이르는 곳을 넘어서서 지나치게 된다."

● 蔡氏淸曰 : "'節而信之', 必立爲節制於此. 上之人當信而守之, 下之人當信而行之, 故受之以中孚. 有其信者必行之, 若果於自信, 則於事不加詳審, 而在所必行矣, 能免於過乎?"[30]

----

28) 선을 가지고 있다고 여기다 :『서경』「열명(說命)」중(中)에서 "선(善)을 가지고 있다고 생각하면 그 선을 상실하고, 재능을 자랑하면 그 공로를 상실할 것이다.[有其善, 喪厥善; 矜其能, 喪厥功.]"라고 하였다.
29) 오징(吳澄),『역찬언(易纂言)』권11.
30) 채청(蔡淸),『역경몽인(易經蒙引)』권12 하(下).

채청(蔡清)이 말했다. "'절도를 지켜 그것을 믿으면' 반드시 여기에 절제하는 것을 세운다. 윗사람은 마땅히 믿어서 그것을 지키고, 아랫사람은 마땅히 그것을 믿어서 실천해야 하기 때문에 중부괘로 받았다. 그 믿음을 가진 자는 반드시 그것을 실천하는데, 만약 스스로의 믿음에 과감하면 일에 대해 더욱 자세히 살펴보지 않고 그 자리에서 바로 실천하니, 허물을 모면할 수 있겠는가?"

[서괘하 11]

> 有過物者必濟, 故受之以旣濟. 物不可窮也, 故受
> 之以未濟終焉.

남보다 지나침이 있는 자는 반드시 구제하기 때문에 기제(旣濟)괘로
받았다. 만물은 다하여 없어질 수 없기 때문에 미제(未濟)괘로 받아
서 끝맺었다.

集說

● 韓氏伯曰 : "行過乎恭, 用過乎儉, 可以矯世勵俗, 有所濟也."[31]

한백(韓伯)이 말했다. "행위가 공손함에 지나치고 사용함에 검소함
이 지나치면 세상을 바로잡고 좋은 풍속을 장려할 수 있으니, 구제
함이 있다."

● 項氏安世曰 : "大過則踰越常理, 故必至於陷. 小過或可濟事,
故有濟而無陷也. 坎離之交, 謂之旣濟, 此生生不窮之所從出
也. 而聖人猶以爲有窮也, 又分之以爲未濟, 此卽咸感之後, 繼
之以恒久之義也. 蓋情之交者, 不可以久而無弊, 故必以分之正
者終之."[32]

----

31) 한백(韓伯), 『주역주소(周易註疏)』 권13.
32) 항안세(項安世), 『주역완사(周易玩辭)』 권16.

항안세(項安世)가 말했다. "크게 지나치면 통상적인 도리를 넘어서기 때문에 반드시 함정에 빠지게 된다. 작게 지나치면 간혹 일을 구제할 수 있기 때문에 구제함이 있지 함정에 빠지는 일은 없다. 감괘와 리괘가 교류하는 것을 기제괘라고 하니, 이는 끊임없이 낳고 또 낳는 것이 그로부터 나오는 것이다. 그런데 성인이 오히려 다하여 없어짐이 있다고 여겨 또 그것을 나누어 미제괘로 삼았으니, 이는 곧 함괘로 다 감응한 뒤에 항괘로 오래간다는 의미를 이은 것이다. 대개 정(情)이 교류함에는 오래되면 폐단이 없을 수 없기 때문에 반드시 그 분수에 바른 것으로 끝맺는다."

總論

● 王氏通『中說』贊易, 至「序卦」曰, "大哉! 時之相生也. 達者可與幾矣." 至「雜卦」曰, "旁行而不流, 守者可與存義矣."[33]

왕통(王通)[34]이 『중설』에서 역을 찬미하다가, 「서괘전」에 이르러 '크도다! 때의 상생이여! 통달한 자는 더불어 기미를 알 수 있을 것이다[35]'라 하였고, 「잡괘전」에 이르러 '두루 시행하지만 방종하지

---

33) 왕통(王通), 『중설(中說)』 권5, 「문역편(問易篇)」.
34) 왕통(王通, 584~617) 자는 중엄(仲淹)이고, 수(隋)나라 강주 용문(絳州 龍門 : 현 산서성 하진〈河津〉) 사람이다. 당(唐)나라 시인 왕발(王勃)의 조부이다. 어려서부터 영민해서 『시』, 『서』, 『예』, 『역』에 통달했다. 스스로 유자(儒者)임을 자부하고 강학(講學)에 힘을 쏟아 문하에서 당의 명신 위징(魏徵) · 방현령(房玄齡) 등이 배출되었다 제자들이 문중자(文中子)라고 시호를 올렸다. 송대 정자(程子)나 주자(朱子) 등은 그를 견유(犬儒)로 평가했다. 저서에 『논어』를 모방하여 대화 형식으로 편찬한 『문중자(文中子)』 10권과 『원경(元經)』이 있다.
35) 더불어 기미를 알 수 있을 것이다 : 본문 [건괘 문언 2-3].

않으니36) 그것을 지키는 자는 더불어 의(義)를 보존할 수 있을 것이다37)'라고 하였다."

● 邵子曰 : "乾 · 坤, 天地之本; 坎 · 離, 天地之用. 是以『易』始於乾 · 坤, 中於坎 · 離, 終於旣 · 未濟. 而泰 · 否爲「上經」之中, 咸 · 恒爲「下經」之首, 皆言乎其用也.""38)

소자(邵子 : 邵雍)가 말했다. "건괘와 곤괘는 하늘과 땅의 근본이고, 감괘와 리괘는 하늘과 땅의 작용이다. 이 때문에 『역』은 건괘와 곤괘에서 시작하고, 감괘와 리괘를 중간으로 하고 기제괘와 미제괘에서 끝난다. 그런데 태괘와 비괘가 「상경」의 중간이 되고, 함괘와 항괘가 「하경」의 첫머리가 되는 것은 모두 그 작용을 말한 것이다."

● 又曰 : "乾 · 坤 · 坎 · 離爲上篇之用, 兌 · 艮 · 震 · 巽爲下篇之用也, 頤 · 中孚 · 大過 · 小過爲二篇之正也."39)

(소옹이) 또 말했다. "건괘 · 곤괘 · 감괘 · 리괘는 상편의 작용이 되고, 태괘 · 간괘 · 진괘 · 손괘는 하편의 작용이 되며, 이괘 · 중부괘 · 대과괘 · 소과괘는 두 편의 바름이 된다."

● 又曰 : "自乾 · 坤至坎 · 離, 以天道也; 自咸 · 恒至旣濟 · 未濟,

---

36) 두루 시행하지만 방종하지 않으니 : 본문 [계사상 4-3].
37) 더불어 의(義)를 보존할 수 있을 것이다 : 본문 [건괘 문언 2-3].
38) 소옹(邵雍), 『황극경세서(皇極經世書)』 권13, 「관물외편 상(觀物外篇上)」.
39) 소옹(邵雍), 『황극경세서(皇極經世書)』 권13, 「관물외편 상(觀物外篇上)」.

以人事也.""[40]

(소옹이) 또 말했다. "건괘와 곤괘에서 감괘와 리괘에 이르기까지는 하늘의 도를 말했고, 함괘와 항괘에서부터 기제괘와 미제괘에 이르기까지는 사람의 일을 말했다."

● 程子「上·下篇義」曰："乾·坤, 天地之道, 陰陽之本, 故爲上篇之首. 坎·離, 陰陽之成質, 故爲上篇之終. 咸·恒, 夫婦之道, 生育之本, 故爲下篇之首. 未濟, 坎·離之合; 旣濟, 坎·離之交. 合而交則生物, 陰陽之成功也, 故爲下篇之終.

정자(程子 : 程頤)가 「상·하편의」에서 말했다. "건(乾☰)괘와 곤(坤☷)괘는 하늘과 땅의 도이고 음과 양의 근본이므로 상편(上篇)의 첫머리가 되었다. 감(坎☵)괘와 리(離☲)괘는 음과 양의 바탕을 이룬 것이기 때문에 상편(上篇)의 끝이 되었다. 함(咸☶)괘와 항(恒☳)괘는 남편과 아내의 도이고 낳고 기르는 근본이기 때문에 하편(下篇)의 첫머리가 되었다. 미제(未濟☲)괘는 감(坎☵)과 리(離☲)가 합쳐진 것이고 기제(旣濟☵)괘는 감과 리가 교류한 것이다. 합쳐지고 교류하면 만물을 낳아 음과 양이 공로를 이루기 때문에 하편(下篇)의 끝이 되었다.

二篇之卦旣分, 而後推其義以爲之次, 「序卦」是也. 卦之分則以陰陽, 陽盛者居上, 陰盛者居下. 所謂盛者, 或以卦, 或以爻, 卦與爻取義有不同. 如剝以卦言, 則陰長陽剝也; 以爻言, 則陽極

40) 소옹(邵雍), 『황극경세서(皇極經世書)』 권13, 「관물외편 상(觀物外篇上)」.

於上, 又一陽爲衆陰主也. 如大壯以卦言, 則陽長而壯; 以爻言則陰盛於上, 用各於其所, 不相害也.

두 편의 괘가 이미 나누어진 뒤에 그 의미를 미루어 차례를 삼았으니, 「서괘전」이 이것이다. 괘가 나누어진 것은 음과 양을 기준으로 하였으니, 양이 융성한 것은 상편에 자리 잡고 음이 융성한 것은 하편에 자리 잡았다. 이른바 융성하다는 것은 어떤 것은 괘를 기준으로 하고 어떤 것은 효를 기준으로 하였으니, 괘와 효에 의미를 취한 것이 같지 않다. 예컨대 박(剝䷖)괘는 괘로 말하면 음이 장성하고 양이 깎이는 것이며, 효로 말하면 양이 위에 지극하고 또 하나의 양이 여러 음의 주인이 된다. 예컨대 대장(大壯䷡)괘는 괘로 말하면 양이 자라나 장성한 것이며, 효로 말하면 음이 위에서 융성한 것이니, 작용이 그 곳에 따라 각각이지만 서로 해롭지 않다.

乾, 父也, 莫亢焉; 坤, 母也, 非乾無與爲敵也. 故卦有乾者居上篇, 有坤者居下篇. 而復陽生, 臨陽長, 觀陽盛, 剝陽極, 則雖有坤而居上. 姤陰生, 遯陰長, 大壯陰盛, 遯陰極, 則雖有乾而居下. 其餘有乾者皆在上篇, 泰·否·需·訟·小畜·履·同人·大有·無妄·大畜也.

건(乾☰)은 아버지이니 이보다 높은 것이 없고, 곤(坤☷)은 어머니이니 건이 아니면 더불어 대적할 것이 없다. 그러므로 괘에 건(乾☰)이 있는 것은 상편에 자리 잡았고, 곤(坤☷)이 있는 것은 하편에 자리 잡았다. 복(復䷗)괘는 양이 생기는 것이고, 임(臨䷒)괘는 양이 자라나는 것이며, 관(觀䷓)괘는 양이 융성한 것이고, 박(剝䷖)괘는 양이 지극한 것이니, 비록 곤(坤☷)이 있지만 상편에 자리 잡았다. 구(姤䷫)괘는 음이 생기는 것이고, 돈(遯䷠)괘는 음이 자라나

는 것이며, 대장(大壯䷡)괘는 음이 융성한 것이고 쾌(夬䷪)괘는 음
이 지극한 것이니, 비록 건(乾☰)이 있지만 하편에 자리 잡았다. 그
나머지 건(乾☰)이 있는 것은 모두 상편(上篇)에 있으니, 태(泰䷊)
괘·비(否䷋)괘·수(需䷄)괘·송(訟䷅)괘·소축(小畜䷈)괘·이(履䷉)
괘·동인(同人䷌)괘·대유(大有䷍)괘·무망(无妄䷘)괘·대축(大畜䷙)
괘이다.

有坤而在上篇, 皆一陽之卦也. 卦五陰而一陽, 則一陽爲之主,
故一陽之卦皆在上篇, 師·謙·豫·比·復·剝也. 其餘有坤者,
皆在下篇, 晉·明夷·萃·升也.

곤(坤☷)이 있으면서 상편에 있는 것은 모두 양이 하나인 괘이다.
괘에 음이 다섯이고 양이 하나이면 하나의 양이 주인이 되기 때문
에 양이 하나인 괘는 모두 상편에 있으니, 사(師䷆)괘·겸(謙䷎)괘
·예(豫䷏)괘·비(比䷇)괘·복(復䷗)괘·박(剝䷖)괘이다. 그 나머지
곤(坤☷)이 있는 것은 모두 하편에 있으니, 진(晉䷢)괘·명이(明夷
䷣)괘·췌(萃䷬)괘·승(升䷭)괘이다.

卦一陰五陽者, 皆有乾也, 又陽衆而盛也. 雖衆陽說於一陰, 說
之而已, 非如一陽爲衆陰主也. 王弼云, '一陰爲之主', 非也. 故
一陰之卦, 皆在上篇, 小畜·履·同人·大有也.

괘에 음이 하나이고 양이 다섯인 것은 모두 건(乾☰)이 있으며, 또
양이 많고 융성하다. 비록 여러 양이 하나의 음을 기뻐하지만 기뻐
할 뿐 하나의 양이 여러 음의 주인이 되는 것과는 같지 않다. 왕필
(王弼)이 '하나의 음이 주인이 된다'라고 말했지만 잘못이다. 그러
므로 음이 하나인 괘는 모두 상편에 있으니, 소축(小畜䷈)괘·이(履

☱)괘·동인(同人☰)괘·대유(大有☰)괘이다.

卦二陽者, 有坤則居下篇, 小過雖無坤, 陰過之卦也, 亦在下篇.
其餘二陽之卦, 皆一陽生於下而達於上, 又二體皆陽, 陽之盛也,
皆在上篇, 屯·蒙·頤·習坎也. 陽生於下, 謂震·坎在下, 震生於
下也, 坎始於中也. 達於上, 謂一陽至上, 或得正位. 生於下而上
達, 陽暢之盛也. 陽生於下而不達於上, 又陰衆而陽寡, 復失正
位, 陽之弱也, 震也解也. 上有陽而下無陽, 無本也, 艮也蹇也.
震·坎·艮以卦言, 則陽也; 以爻言, 則皆始變微也. 而震之上·
艮之下無陽, 坎則陽陷, 皆非盛也. 唯習坎則陽上達矣, 故爲盛.

괘에 양이 두 개인 것은 곤(坤☷)이 있으면 하편(下篇)에 자리 잡는
데, 소과(小過☳)괘는 비록 곤(坤☷)이 없지만 음이 지나친 괘이니
또한 하편에 있다. 그 나머지 양(陽)이 두 개인 괘는 모두 하나의
양이 아래에서 생겨나 위에 도달한 것이고, 또 두 체(體)가 모두 양
이면 양이 융성한 것이라 모두 상편에 있으니, 준(屯☵☳)괘·몽(蒙☶☵)
괘·이(頤☶☳)괘·감(坎☵)괘이다. 양이 아래에서 생긴다는 것은 진
(震☳)과 감(坎☵)이 아래에 있는 것을 말하니, 진(震)은 아래에서
생기고 감(坎)은 가운데서 시작한다는 뜻이다. 위에 도달한다는 것
은 하나의 양이 위에 이르거나 혹은 바른 자리를 얻는 것을 말한다.
아래에서 생겨나 위에 도달하는 것은 양의 통창함이 융성한 것이다.
양이 아래에서 생겼지만 위에 도달하지 못하고 또 음이 많고 양이
적으며, 다시 바른 자리를 잃는 것은 양이 약한 것이니, 진(震☳☳)괘
와 해(解☳)괘이다. 위에 양이 있지만 아래에 양이 없는 것은 근본이
없는 것이니, 간(艮☶)괘와 건(蹇☶)괘이다. 진(震☳)·감(坎☵)·간
(艮☶)은 괘로 말하면 양이지만, 효로 말하면 모두 처음 변한 것이
미약하다. 진(震)의 위와 간(艮)의 아래에는 양이 없고, 감(坎)은 양

이 함정에 빠졌으니 모두 양이 융성한 것이 아니다. 오직 감(坎☵)
괘는 양이 위에 도달한 것이기 때문에 양이 융성한 것이 된다.

卦二陰者, 有乾則陽盛可知, 需·訟·大畜·無妄也; 無乾而爲盛
者, 大過也離也. 大過陽盛於中, 上下之陰弱矣. 陽居上下, 則綱
紀於陰, 頤, 是也. 陰居上下, 不能主制於陽而反弱也. 必上下各
二陰, 中唯兩陽, 然後爲勝, 小過, 是也. 大過·小過之名可見也.
離則二體上下皆陽, 陰實麗焉, 陽之盛也. 其餘二陽之卦, 二體
俱陰, 陰盛也, 皆在下篇, 家人·睽·革·鼎·巽·兌·中孚也.

괘에 음이 두 개인 것은, 건(乾☰)이 있으면 양이 융성함을 알 수
있으니, 수(需☵)괘·송(訟☲)괘·대축(大畜☶)괘·무망(无妄☳)괘이
며, 건(乾)이 없으면서 융성함이 되는 것은 대과(大過☴)괘와 리(離
☲)괘이다. 대과괘는 양이 가운데서 융성하고 상하의 음(陰)이 약
하다. 양이 위와 아래에 자리 잡으면 음의 기강이 되니 이(頤☶)괘
가 이것이다. 음이 위와 아래에 자리 잡으면 양을 주관하여 제재하
지 못하고 도리어 약하다. 반드시 위와 아래에 각각 두 개씩 음이
있고 가운데에 오직 양이 두 개인 뒤에야 이기게 되니, 소과(小過
☳)괘가 이것이다. 대과(大過)괘와 소과(小過)괘의 명칭에서 알 수
있다. 리(離☲)괘는 두 체(體)의 위와 아래가 모두 양인데 음이 실
제로 걸려 있으니 양이 융성한 것이다. 그 나머지 음이 두 개인 괘
는 두 체(體)가 모두 음이면 음이 융성한 것이므로 모두 하편에 있
으니, 가인(家人☲)괘·규(睽☲)괘·혁(革☱)괘·정(鼎☲)괘·손(巽☴)
괘·태(兌☱)괘·중부(中孚☴)괘이다.

卦三陰三陽者, 敵也, 則以義爲勝. 陰陽尊卑之義, 男女長少之

序, 天地之大經也. 陽少於陰而居上, 則爲勝. 蠱少陽居長陰上,
賁少男在中女上, 皆陽盛也. 坎雖陽卦, 而陽爲陰所陷溺也, 又
與陰卦重, 陰盛也. 故陰陽敵而有坎者皆在下篇, 困·井·渙·節
·旣濟·未濟也.

괘에 음이 세 개이고 양이 세 개인 것은 대등한 것이니, 의(義)로
이기는 것이 된다. 음·양, 높음·낮음의 의(義)와 남·녀, 어른·아
이의 차례는 하늘과 땅의 큰 법도이다. 양이 음보다 어려도 위에
자리 잡으면 이기는 것이 된다. 고(蠱☶)괘는 어린 양이 장성한 음
의 위에 자리 잡았고, 비(賁☶)괘는 소남(少男)이 중녀(中女)의 위
에 있으니, 모두 양이 성한 것이다. 감(坎☵)은 비록 양괘이지만 양
이 음에 빠진 것이 되었고 또 음괘와 겹치는 것은 음이 융성한 것
이다. 그러므로 음양이 대등하면서 감(坎)이 있는 것은 모두 하편
에 있으니, 곤(困☱)괘·정(井☴)괘·환(渙☴)괘·절(節☵)괘·기제
(旣濟☲)괘·미제(未濟☲)괘이다.

或曰, '一體有坎, 尙爲陽陷, 二體皆坎, 反爲陽盛, 何也?' 曰, '一
體有坎, 陽爲陰所陷, 又重於陰也. 二體皆坎, 陽生於下而達於
上, 又二體皆陽, 可謂盛矣.'

어떤 사람이 물었다. '하나의 체(體)에 감(坎)이 있어도 또한 양이
함정에 빠지게 되는데 두 개의 체(體)가 모두 감(坎)인데도 도리어
양이 융성하게 되는 것은 무엇 때문인가?' 대답했다. '하나의 체(體)
에 감(坎)이 있는 것은 양이 음에 빠진 것이 되고, 또 음에 중첩된
것이다. 두 개의 체(體)가 모두 감(坎)인 것은 양이 아래에서 생겨
나 위에 도달한 것이고, 또 두 개의 체(體)가 모두 양이니 양이 융
성하다고 말할 수 있다.'

男在女上, 乃理之常. 未爲盛也, 若失正位, 而陰反居尊, 則弱也. 故恒·損·歸妹·豐皆在下篇. 女在男上, 陰之勝也. 凡女居上者, 皆在下篇, 咸·益·漸·旅·困·渙·未濟也. 唯隨與噬嗑, 則男下女, 非女勝男也. 故隨之「象」曰'剛來而下柔', 噬嗑「象」曰'柔得中而上行.' 長陽非少陰可敵, 以長男下中·少女, 故爲下之.

남성이 여성의 위에 있는 것은 곧 불변하는 이치이다. 아직 융성하게 되지 않았는데 만약 바른 자리를 잃고 음이 도리어 존귀한 데에 자리 잡으면 약한 것이 된다. 그러므로 항(恒䷟)괘·손(損䷨)괘·귀매(歸妹䷵)괘·풍(豐䷶)괘가 모두 하편에 있다. 여성이 남성의 위에 있는 것은 음이 이긴 것이다. 무릇 여성이 위에 자리 잡은 것은 모두 하편에 있으니, 함(咸䷞)괘·익(益䷩)괘·점(漸䷴)괘·여(旅䷷)괘·곤(困䷮)괘·환(渙䷺)괘·미제(未濟䷿)괘이다. 오직 수(隨䷐)괘와 서합(噬嗑䷔)괘만이 남성이 여성에게 낮추는 것이니 여성이 남성을 이긴 것이 아니다. 그러므로 수(隨)괘의 「단전」에 '강(剛)이 와서 유(柔)에게 낮추었다'라 하였고, 서합(噬嗑)괘의 「단전」에 '유(柔)가 중(中 : 알맞음)을 얻어 위로 올라갔다'라고 하였다. 장성한 양은 어린 음이 대적할 수 있는 것이 아니니, 장남(長男)으로 중녀(中女)와 소녀(少女)의 아래에 있기 때문에 낮춤이 되는 것이다.

若長·少敵, 勢力侔, 則陰在上爲陵, 陽在下爲弱, 咸·益之類, 是也. 咸亦有下女之象, 非以長下少也, 乃二少相感以相與, 所以致陵也. 故有'利貞'之戒. 困雖女少於男, 乃陽陷而爲陰掩, 無相下之義也.

만약 장성한 것과 어린 것이 대등하여 세력이 비슷하면 음이 위에 있는 것은 능멸함이 되고, 양이 아래에 있는 것은 약함이 되니, 함

(咸☷)괘·익(益☲)괘와 같은 부류가 이것이다. 함(咸)괘 또한 여성
에게 낮추는 모습이 있지만 장성한 것이 어린 것에게 낮추는 것이
아니라 바로 두 개의 어린 것이 서로 감동하여 서로 함께 하는 것
이기 때문에 능멸을 불러오게 된다. 그러므로 '정(貞)함이 이롭다'
라는 경계가 있는 것이다. 곤(困☵)괘는 비록 여성이 남성보다 어
리고 이에 양이 함정에 빠져 음에게 가려졌으니, 서로 낮추는 의미
가 없다.

'小過二陽居四陰之中, 則爲陰盛; 中孚二陰居四陽之中, 而不
爲陽盛, 何也?' 曰, '陽體實, 中孚, 中虛也.' '然則頤中四陰不爲
虛乎?' 曰, '頤二體皆陽卦, 而本末皆陽, 盛之至也; 中孚二體皆
陰卦, 上下各二陽, 不成本末之象, 以其中虛, 故爲中孚, 陰盛
可知矣.'"

'소과(小過☳)괘는 두 개의 양이 네 개의 음 가운데에 자리 잡았으
니 음이 융성한 것이 되었는데, 중부(中孚☲)괘는 두 개의 음이 네
개의 양 가운데에 자리 잡았어도 양이 융성한 것이 되지 않는 것은
무엇 때문인가?' 대답한다. '양의 체(體)는 차 있어야 하는데 중부
(中孚)괘는 가운데가 비었기 때문이다.' '그렇다면 이(頤☲)괘는 네
개의 음이 가운데에 있으니 빈 것이 아닌가?' 대답한다. '이(頤)괘는
두 개의 체(體)가 모두 양괘이고 근본과 말단이 모두 양이니 융성
함이 지극한 것이다. 중부(中孚)괘는 두 개의 체(體)가 모두 음괘이
고 위와 아래가 각각 두 개의 양(陽)이어서 근본과 말단의 모습을
이루지 못하였고 그 가운데가 비었기 때문에 중부(中孚)괘가 되었
으니, 음이 융성함을 알 수 있다.'"

● 項氏安世曰："「上經」言天地生萬物, 以氣而流形, 故始於乾·坤, 終於坎·離, 言氣化之本也.「下經」言萬物之相生, 以形而傳氣, 故始於咸·恒, 終於既濟·未濟, 言夫婦之道也."[41]

항안세(項安世)가 말했다. "「상경」은 하늘과 땅이 만물을 생겨나게 하는 것을 말하는데, 기(氣)로 하고 형체를 완성하기 때문에 건괘와 곤괘에서 시작하여 감괘와 리괘에서 끝나니, 기화(氣化)의 본체를 말했다.「하경」은 만물이 서로 생겨나는 것을 말했는데, 형체로 하고 기를 전하기 때문에 함괘와 항괘에서 시작하여 기제괘와 미제괘에서 끝나니, 남편과 아내의 도리를 말했다."

● 蔡氏淸曰："「序卦」之義, 有相反者, 有相因者. 相反者, 極而變者也; 相因者, 其未至於極者也. 總不出此二例."[42]

채청(蔡淸)이 말했다. "「서괘전」의 의미는 서로 반대되는 것도 있고 서로 따르는 것도 있다. 서로 반대되는 것은 극한에까지 가서 변하는 것이고, 서로 따르는 것은 아직 극한에까지 이르지 않은 것이다. 결국 이 두 가지 사례를 벗어나지 않는다."

---

41) 항안세(項安世), 『주역완사(周易玩辭)』 권16.
42) 채청(蔡淸), 『역경몽인(易經蒙引)』 권12 하(下).

잡괘전

● 孔氏穎達曰：“「序卦」依文王「上·下」而次序之, 此「雜卦」, 孔子更以意錯雜而對, 辨其次第, 不與「序卦」同.”[1]

공영달(孔穎達)이 말했다. “「서괘전」은 문왕의 「상경」·「하경」에 의거하여 차례 지었고, 여기의 「잡괘전」은 공자가 다시 임의로 뒤섞어서 짝을 지었으니, 그 차례를 변별하면 「서괘전」과 같지 않다.”

● 『朱子語類』云：“卦有反, 有對, 乾·坤·坎·離是反, 艮·兌·震·巽是對. 乾·坤·坎·離, 倒轉也只是四卦. 艮·兌·震·巽, 倒轉則爲中孚·頤·小過·大過. 其餘皆是對卦.”[2]

『주자어류』에서 말했다. “괘에는 반대되는 괘가 있고 짝이 되는 괘가 있는데, 건·곤·감·리는 반대되는 괘이고, 간·태·진·손은 짝이 되는 괘이다. 건·곤·감·리는 뒤집어도 또한 4개의 괘일 뿐이다. 간·태·진·손은 뒤집으면 중부·이·소과·대과가 된다. 그 나머지는 모두 짝이 되는 괘이다.”

----

1) 공영달 소(孔穎達 疏), 『주역주소(周易註疏)』 권13.
2) 주희, 『주자어류』 권67, 100조목.

● 又云 : "八卦便只是六卦. 乾・坤・坎・離是四正卦, 兌便是翻轉底巽, 震便是翻轉的艮. 六十四卦, 只八卦是正卦, 餘便只二十四卦,3) 翻轉爲五十六卦. 中孚是個雙夾底離, 小過是個雙夾的坎. 大過是個厚畫底坎, 頤是個厚畫底離."4)

(주자가) 또 말했다. "8괘는 곧 6개의 괘일 뿐이다. 건・곤・감・리는 4개의 정괘(正卦)이고, 태괘는 바로 손괘를 거꾸로 뒤집은 것이며, 진괘는 바로 간괘를 거꾸로 뒤집은 것이다. 64괘는 8개 괘가 정괘일 뿐이고 나머지는 바로 28개 괘일 뿐인데 거꾸로 뒤집어서 56괘가 되었다. 중부(中孚䷼)괘는 한 쌍으로 두 겹이 된 리(離☲)괘이고, 소과(小過䷽)괘는 한 쌍으로 두 겹이 된 감(坎☵)괘이다. 대과(大過䷛)괘는 가운데 획을 두텁게 그은 감(坎☵)괘이고, 이(頤䷚)는 가운데 획을 두텁게 그은 리(離☲)괘이다."

● 又云 : "三畫之卦, 只是六卦. 卽六畫之卦, 以正卦八, 加反卦二十有八, 爲三十有六, 六六三十六也. 邵子謂之'暗卦.' 小成之卦八, 卽大成之卦六十四, 八八六十四也. 三十六與六十四同."5)

『주자어류』에서 말했다. "3획 괘는 6개 괘일 뿐이다. 6획 괘가 되면 정괘(正卦) 8개에 반대가 되는 괘 28개를 더하여 36개이니, 6×6=36이다. 소자(邵子 : 邵雍)는 그것을 '암괘(暗卦)'라고 했다. 소성괘(小成卦)는 8개 괘이고, 대성괘(大成卦) 64개 괘가 되면

---

3) 餘便只二十四卦 : 주희, 『주자어류』 권67, 99조목에는 "나머지는 28개 괘인데[餘便只二十八卦]"라고 되어 있다. 문맥상 『주자어류』에 따라 번역한다.
4) 주희, 『주자어류』 권67, 99조목.
5) 주희, 『주자어류』 권67, 99조목.

8×8=64이다. 36개의 괘와 64개의 괘는 같다."

● 龍氏仁夫曰：“按『春秋傳』釋繫辭, 所謂‘屯固比入. 坤安震殺’之屬, 以一字斷卦義. 往往古筮書多有之,「雜卦」此類, 是也. 夫子存之爲經羽翼, 非創作也.”[6]

용인부(龍仁夫)가 말했다. “생각건대 『춘추전』에서 계사(繫辭：占辭)를 풀이하여 이른바 ‘준괘는 견고하고 비괘는 들어간다. 곤괘는 편안하고 진괘는 죽인다.’[7]라고 말한 것은 하나의 글자로 괘의 의미를 단정한 것이다. 종종 옛 점서에 그런 글이 많이 있으니,「잡괘전」과 같은 부류가 이것이다. 공자가 그것을 보존하여 경(經)을 보좌하는 것으로 삼았으니 처음으로 지은 것이 아니다.”

---

6) 심기원(沈起元), 『주역공의집설(周易孔義集說)』 권20에 용인부(龍仁夫)의 말로 실려 있다.
7) 준괘는 견고하고 비괘는 들어간다. 곤괘는 편안하고 진괘는 죽인다：『춘추좌전』「민공(閔公)」원년(元年)에 “처음에 필만(畢萬)이 진나라에 벼슬하는 것에 대해 점을 쳤는데, 준괘가 비괘로 가는 것을 얻었다. 신료(辛廖)가 풀이하여 ‘길하다. 준은 견고하고 비는 들어가니 길함이 그 어느 것이 이것보다 크겠는가? 아마 반드시 번창할 것이다 … 합치고 견고할 수 있으며 편안하고 죽일 수 있으니, 공후(公侯)의 괘이다.’라고 말했다. [初, 畢萬筮仕於晉, 遇屯之比. 辛廖占之, 曰, ‘吉. 屯固·比入, 吉孰大焉? 其必蕃昌…合而能固, 安而能殺, 公侯之卦也.’]”라고 하였다.

乾剛坤柔, 比樂師憂.

건(乾)괘는 굳세고 곤(坤)괘는 유순하며, 비(比)괘는 즐겁고 사(師)괘는 근심한다.

集說

● 蘇氏軾曰 : "有親則樂, 動衆則憂."[1]

소식(蘇軾)이 말했다. "친함이 있으면 즐겁고 움직임이 많으면 근심한다."

● 朱氏震曰 : "比得位而衆比之, 故樂; 師犯難而衆從之, 故憂. 憂樂以天下也."[2]

주진(朱震)이 말했다. "친밀한 사람이 지위를 얻으면 많은 사람들이 그를 친근하게 여기기 때문에 즐거우며, 군사가 변란을 일으키면 많은 사람이 그들을 좇으니 근심스럽다. 근심과 즐거움은 세상 사람들을 기준으로 한다."

---

1) 소식(蘇軾), 『동파역전(東坡易傳)』 권9.
2) 주진(朱震), 『한상역전(漢上易傳)』 권11.

臨·觀之義, 或與或求.

임(臨)괘와 관(觀)괘의 의미는 어떤 경우에는 주고 어떤 경우에는 구하는 것이다.

本義

以我臨物曰‘與’, 物來觀我曰‘求.’ 或曰, ‘二卦互有與求之義.

내가 남에게 임하는 것을 준다[與]라고 하며, 남이 와서 나를 보는 것을 구한다[求]라고 한다. 어떤 사람은 '두 괘가 상호간에 주고 구하는 의미가 있다'라고 하였다.

集說

● 郭氏雍曰 : "臨與所臨, 觀與所觀, 二卦皆有與求之義. 或有與無求, 或有求無與, 皆非臨·觀之道."[3]

곽옹(郭雍)이 말했다. "임하는 것은 임한 것을 주고, 보는 것과 본 것을 주니, 두 괘는 모두 주고 구하는 의미가 있다. 간혹 주는 것은 있는데 구하는 것이 없거나, 간혹 구하는 것은 있는데 주는 것이 없는 것은 모두 임괘와 관괘의 도가 아니다."

---

3) 곽옹(郭雍), 『곽씨전가역설(郭氏傳家易說)』 권11.

[잡괘 3]

屯見而不失其居, 蒙雜而著.

준(屯)괘는 나타나지만 그 거처를 잃지 않고, 몽(蒙)괘는 섞이지만
드러난다.

本義

屯, 震遇坎, 震動故見, 坎險不行也. 蒙, 坎遇艮, 坎幽昧, 艮
光明也. 或曰, '屯以初言, 蒙以二言.'

준(屯☷)괘는 진(震☳)이 감(坎☵)을 만난 것이니, 진(震)은 움직이
기 때문에 나타나고, 감(坎)은 험하여 가지 못한다. 몽(蒙☶)괘는
감(坎☵)이 간(艮☶)을 만난 것이니, 감(坎)은 어둡고 간(艮)은 밝
다. 어떤 사람은 '준괘는 초효로 말한 것이고, 몽괘는 구이(九二)효
로 말한 것이다'라고 하였다.

集說

● 蘇氏軾曰 : "'君子以經綸', 故曰'見'; '盤桓利居貞', 故曰'不失
其居.' 蒙以養正, 蒙正未分, 故曰'雜; 童明, 故曰'著.'"[4]

---

4) 소식(蘇軾), 『동파역전(東坡易傳)』권9.

소식(蘇軾)이 말했다. "'군자가 그것으로 경륜하기'5) 때문에 '나타나고', '주저함이니 정(貞)에 거처하는 것이 이롭기'6) 때문에 '그 거처를 잃지 않는다.' 몽매함으로 바름을 기르니 몽매함과 바름이 나누어지지 않기 때문에 '섞여있다'고 했고, 어린 아이가 밝기 때문에 '드러난다'고 하였다."

● 龔氏原曰 : "不見則不足以濟衆, 不居則不足以爲主."7)

공원(龔原)이 말했다. "나타나지 않으면 많은 사람을 구제하기에 충분하지 못하고, 거처하지 않으면 주인이 되기에 충분하지 못하다."

● 柴氏中行曰 : "在蒙昧之中, 雖未有識別, 而善理昭著."8)

시중행(柴中行)이 말했다. "몽매한 가운데 아직 식별함이 없지만 성한 이치가 밝게 드러난다."

---

5) 군자가 그것으로 경륜하기 : 『역』 둔괘 대상전(大象傳).
6) 주저함이니 정(貞)에 거처하는 것이 이롭기 : 『역』 「몽괘」 초구 효사.
7) 이형(李衡), 『주역의해촬요(周易義海撮要)』 권11에 공원(龔原)의 말로 실려 있다.
8) 동진경(董眞卿), 『주역회통(周易會通)』 권14에 시중행(柴中行)의 말로 실려 있다.

[잡괘 4]

> **震, 起也; 艮, 止也. 損·益, 盛衰之始也.**
> 진(震)괘는 일어남이고, 간(艮)괘는 멈춤이다. 손(損)괘와 익(益)괘
> 는 성대함과 쇠퇴함의 시작이다.

集說

● 虞氏翻曰 : "震陽動行, 故起; 艮陽終止, 故止."[9]

우번(虞翻)이 말했다. "진괘는 양효가 움직여 나아가기 때문에 일
으키고, 간괘는 양효가 끝에서 그치기 때문에 멈춘다."

● 朱氏震曰 : "陽起於坤而出震, 則靜者動; 陽止於艮而入坤,
則動者靜."[10]

주진(朱震)이 말했다. "양이 곤괘에서 일어나 진괘로 나가면 고요
한 것이 움직이고, 양이 간괘에서 멈추어 곤괘로 들어가면 움직이
는 것이 고요해진다."

● 郭氏雍曰 : "損已必盛, 故爲盛之始; 益已必衰, 故爲衰之始.

---

9) 이정조(李鼎祚), 『주역집해(周易集解)』 권17에 우번(虞翻)의 말로 기재
되어 있다.
10) 주진(朱震), 『한상역전(漢上易傳)』 권11.

消長相循, 在道常如是也."[11]

곽옹(郭雍)이 말했다. "덜어냄이 그치면 반드시 성대하기 때문에 성대함의 시작이 되고, 보탬이 그치면 반드시 쇠퇴하기 때문에 쇠퇴함의 시작이 된다. 사라짐과 불어남이 서로 순환하는 것은 도(道)에서 항상 이와 같다."

● 俞氏琰曰 : "損·益蓋未至於盛衰, 而盛衰自此始也."[12]

유염(俞琰)이 말했다. "손괘와 익괘는 아직 성대함과 쇠퇴함에 이르지 않았고, 성대함과 쇠퇴함은 여기에서 비롯한다."

● 錢氏志立曰 : "損·益·否·泰, 爲盛衰反復之介, 易所最重者也.「雜卦」於他卦分擧, 而損·益·否·泰則合擧之, 以明盛衰之無常, 反復之甚速也. 『周易』自乾·坤至否·泰十二卦, 自咸·恒至損·益十二卦, 此除乾·坤外, 自比·師至損·益十卦, 自咸·恒至泰·否十卦."

전지립(錢志立)이 말했다. "손괘·익괘·비괘·태괘는 성대함과 쇠퇴함이 반복하는 중개자가 되니 역에서 가장 중요한 것이다. 「잡괘전」은 다른 괘에 대해서는 나누어 제기했지만, 손괘·익괘·비괘·태괘는 합쳐서 제기하여 성대함과 쇠퇴함의 무상함과 반복됨이 매우 빠른 것을 밝혔다. 『주역』은 건괘·곤괘에서 비괘·태괘까지가 12개 괘이고, 함괘·항괘에서 손괘·익괘까지가 12개 괘인데, 여기

---

11) 곽옹(郭雍), 『곽씨전가역설(郭氏傳家易說)』 권11.
12) 유염(俞琰), 『주역집설(周易集說)』 권40.

에서 건괘와 곤괘를 제외하고 비괘·사괘에서 손괘·익괘까지가 10개 괘이고, 함괘·항괘에서 태괘·비괘까지가 10개 괘이다."

[잡괘 5]

大畜, 時也; 無妄, 災也.

대축(大畜)괘는 때이고, 무망(無妄)괘는 재앙이다.

本義

止健者, 時有適然. 無妄而災自外至.

강건함을 그치는 것은 때에 나아가 그러함이 있는 것이다. 망령됨이 없지만 재앙이 밖으로부터 이른다.

集說

● 郭氏雍曰: "'君子藏器於身, 待時而動', 然則'多識前言往行, 以畜其德', 亦以待時也. 無妄之謂災, 其餘自作孽而已, 故無妄 '匪正有眚.'"[13]

곽옹(郭雍)이 말했다. "([계사하 5-6]에서) '군자가 몸에 기물을 간직하고 때를 기다려 움직인다'고 하였는데, 그렇다면 (대축괘 대상전에서) '옛 성현들의 말씀과 지나간 행실을 많이 알아서 덕을 쌓는다'고 한 것도 또한 때를 기다리는 것이다. 망령됨이 없는 것을 재앙이라 말하면 그 나머지는 스스로 재앙을 만드는 것일 뿐이기 때

---

13) 곽옹(郭雍), 『곽씨전가역설(郭氏傳家易說)』 권11.

문에 무망괘 괘사에서 '올바르지 않으면 재앙이 있다'라고 하였다."

● 何氏楷曰 : "大畜若上九天衢之亨, 可謂得時矣. 然無畜而時, 不謂時也, 大畜故謂之時耳. 無妄若六三'或繫之牛', 可謂逢災矣. 然有妄而災, 不謂災也, 無妄故謂之災耳."14)

하해(何楷)가 말했다. "대축괘는 상구(上九)효의 하늘의 거리에서 형통함이 있는 것과 같으면 때를 얻었다고 말할 수 있다. 그렇지만 쌓은 것이 없이 때를 기다리면 때를 얻었다고 말할 수 없으니, 크게 쌓았기 때문에 때를 얻었다고 말할 수 있을 뿐이다. 무망괘는 육삼(六三)효의 '설혹 소를 매어 놓았다고 하더라도'와 같으면 재앙을 만났다고 말할 수 있다. 그렇지만 망령됨이 있어 재앙이 생겼다면 재앙이 이른다고 말할 수 없으니, 망령됨이 없기 때문에 재앙이 이르렀다고 말할 수 있다."

---

14) 하해(何楷), 『고주역정고(古周易訂詁)』 권3.

[잡괘 6]

> 萃聚而升不來也. 謙輕而豫怠也.

췌(萃)괘는 모임이고 승(升)괘는 오지 않은 것이다. 겸(謙)괘는 자기를 가벼이 여김이고 예(豫)괘는 태만한 것이다.

集說

● 郭氏雍曰 : "謙輕己, 豫怠己也. 以樂豫, 故心怠, 是以君子貴知幾."[15]

곽옹(郭雍)이 말했다. "겸괘는 스스로를 가벼이 여기는 것이고, 예괘는 스스로 태만한 것이다. 즐거운 것으로 기뻐하기 때문에 마음이 태만해지니, 이로 인해 군자는 기미를 아는 것을 귀하게 여긴다."

● 『朱子語類』云 : "輕是不自尊重,[16] 卑少之義. 豫是悅之極, 便放倒了. 如上六'冥豫', 是也.[17]"

『주자어류』에서 말했다. "가벼이 여기는 것은 스스로 존중하게 여기지 않는 것이니 낮고 작은 의미이다. 예괘는 즐거워함의 극치이

---

15) 곽옹(郭雍), 『곽씨전가역설(郭氏傳家易說)』 권11.
16) 輕是不自尊重 : 주희, 『주자어류』 권77, 71조목.
17) 卑少之義, 豫是悅之極, 便放倒了, 如上六'冥豫'是也 : 주희, 『주자어류』 권77, 72조목.

니 바로 거꾸로 된다. 예컨대 상육(上六)효의 '즐거움에 빠져 어둡게 된다'는 말이 이것이다."

● 項氏安世曰 : "自以爲少, 故謙; 自以爲多, 故豫. 少故輕, 多故怠."[18]

항안세(項安世)가 말했다. "스스로를 적다고 여기기 때문에 겸손하고, 스스로를 많다고 여기기 때문에 즐거워한다. 적기 때문에 가벼이 여기고, 많기 때문에 태만한다."

● 柴氏中行曰 : "謙者視己若甚輕, 豫則有滿盈之志而怠矣."[19]

시중행(柴中行)이 말했다. "겸손한 자는 자신을 보기를 매우 가벼운 것처럼 하고, 즐거워하면 가득 찬 뜻이 있어 태만한다."

● 張氏振淵曰 : "萃有聚而尙往之義, 升有往而不反之義."

장진연(張振淵)이 말했다. "췌괘는 모여서 가는 것을 숭상하는 의미가 있고, 승괘는 가서 돌아오지 않는 의미가 있다."

---

18) 항안세(項安世), 『주역완사(周易玩辭)』 권16.
19) 동진경(董眞卿), 『주역회통(周易會通)』 권14에 시중행(柴中行)의 말로 실려 있다.

噬嗑, 食也; 賁, 無色也.

서합(噬嗑)괘는 먹는 것이고, 비(賁)괘는 색깔이 없는 것이다.

本義

白受采.

흰색은 채색을 받는다.

集說

● 郭氏雍曰：“賁以‘白賁, 無咎.’ 故無色則質全, 有天下之至賁存焉.”[20]

곽옹(郭雍)이 말했다. “비괘는 ‘꾸밈을 희게 하여 허물이 없다.’[21] 그러므로 색깔이 없으면 바탕이 온전하여 천하의 지극한 꾸밈이 보존된다.”

● 項氏安世曰：“物消曰‘食.’ 噬者合, 則强物消矣.”[22]

---

20) 곽옹(郭雍), 『곽씨전가역설(郭氏傳家易說)』 권11.
21) 꾸밈을 희게 하여 허물이 없다 : 『역』 「비(賁)괘」 상구(上九) 효사.

항안세(項安世)가 말했다. "음식물이 사라지는 것을 '먹는다'고 한다. '씹는 것[噬]'은 합치는 것이니, 강한 물건이 사라지는 것이다."

案

此二語之義, 卽所謂食取其充腹, 衣取其蔽體者也. 若飫於膏粱, 則噬之不能合, 而失飮食之正; 若競於華美, 則目迷五色, 而非自然之文.

이 두 마디 말의 의미는 이른바 먹는다는 것은 배를 채운다는 뜻을 취했고, 옷을 입는다는 것은 신체를 가리는 뜻을 취했다. 만약 맛있는 음식에 물린다면 씹는 것이 합쳐질 수 없어서 음식을 먹는 올바른 도를 잃게 될 것이며, 만약 아름다움을 다툰다면 눈이 각종 색깔에 미혹되어 자연스러운 문채가 아닐 것이다.

---

22) 항안세(項安世), 『주역완사(周易玩辭)』 권16.

> **兌見而巽伏也.**
>
> 태(兌)괘는 나타남이고 손(巽)괘는 엎드림이다.

本義

兌陰外見, 巽陰內伏.

태(兌)괘는 음(陰)이 밖으로 나타나고, 손(巽)괘는 음이 안에 엎드
려 있다.

集說

● 何氏楷曰 : "巽本以陰在下爲能巽也. 「象傳」乃爲'剛巽乎中正
而志行, 柔皆順乎剛.' 兌本以陰在上爲能說也. 「象傳」乃謂'剛
中而柔外, 說以利貞.' 蓋終主陽也云爾."[23]

하해(何楷)가 말했다. "손괘는 본래 음효가 아래에 있는 것으로 겸
손할 수 있다. 이에 손괘 「단전」에서 '굳셈이 중정(中正)에 순종하
고 뜻이 행해지며, 유순한 것이 모두 굳센 것에게 순응한다'라고 하
였다. 태괘는 본래 음효가 아래에 있는 것으로 기뻐할 수 있다. 이
에 태괘 「단전」에서 '굳센 것이 중(中)에 있고 유순한 것이 밖에 있

----

23) 하해(何楷), 『고주역정고(古周易訂詁)』 권6.

어 기뻐하되 정(貞)함이 이롭다'고 하였다. 모두 끝내 양(陽)을 위주로 하는 것을 말할 뿐이다."

隨, 無故也; 蠱, 則飭也.

수(隨)괘는 연고가 없는 것이고, 고(蠱)괘는 삼가는 것이다.

本義

隨前無故, 蠱後當飭.

따르기 전에는 연고가 없고, 일이 있은 뒤에 마땅히 삼가는 것이다.

集說

● 俞氏琰曰 : "'故', 謂故舊, 與革去故之故同. 隨人則忘舊, 蠱
則飭而新也."[24]

유염(俞琰)이 말했다. "'연고'는 오래된 벗을 말하니, 옛 것[故]을 버
린다고 할 때의 옛 것과 같다. 남을 따르면 옛 것을 잊고, 일이 있
으면 삼가서 새롭게 한다."

案

無故, 猶莊子言去故. 人心有舊見, 則不能隨人. 故堯舜舍己從

---

24) 유염(俞琰), 『주역집설(周易集說)』 권40.

人者無故也.

연고가 없다는 것은 장자(莊子)가 연고를 버린다고 말한 것[25]과 같다. 사람의 마음에 오래된 견해가 있으면 남을 따를 수 없다 그러므로 요임금과 순임금이 자기를 버리고 남을 따른 것은 연고를 없앤 것이다.

---

25) 장자(莊子)가 연고를 버린다고 말한 것 : 『장자(莊子)』「각의(刻意)」에서 "지혜와 연고를 버리고 하늘의 이치를 따른다.[去知與故, 循天之理.]"라고 하였다.

剝, 爛也; 復, 反也.

박(剝)괘는 문드러짐이고, 복(復)괘는 돌아옴이다.

集說

● 項氏安世曰 : “剝, 爛盡. 復, 反生也. 凡果爛而仁生, 物爛而
蠱生, 木葉爛而根生, 糞壤爛而苗生, 皆剝·復之理也.”[26]

항안세(項安世)가 말했다. “깎임[剝]은 문드러져 다 없어지는 것이
다. 돌아옴[復]은 생겨남으로 돌이키는 것이다. 무릇 과일이 문드러
지면 씨앗이 생겨나고, 물건이 문드러지면 벌레가 생기며, 나뭇잎
이 문드러지면 뿌리가 생겨나고, 썩은 흙이 문드러지면 싹이 생겨
나는 것은, 모두 박괘와 복괘의 이치이다.”

● 徐氏幾曰 : “剝爛則陽窮於上, 復反則陽生於下, 猶果之爛墜
於下, 則可種而生矣.”[27]

서기(徐幾)가 말했다. “깎여서 문드러지면 양효가 위에서 곤궁하고
회복하여 돌아오면 양효가 아래에서 생겨나니, 이는 마치 과일이

---

26) 항안세(項安世), 『주역완사(周易玩辭)』 권16.
27) 심기원(沈起元), 『주역공의집설(周易孔義集說)』 권20에 서기(徐幾)의
   말로 실려 있다.

문드러져 아래에 떨어지면 종자가 되어 생겨나는 것과 같다."

晉, 晝也; 明夷, 誅也.

진(晉)괘는 낮이고, 명이(明夷)괘는 손상함이다.

本義

'誅', 傷也.

'주(誅)'는 손상함이다.

集說

● 虞氏翻曰 : "離日在上, 故晝也; 明入地中, 故誅也."[28]

우번(虞翻)이 말했다. "리괘인 해가 위에 있기 때문에 낮이 되고, 밝음이 땅속에 들어가기 때문에 손상함이다."

● 郭氏雍曰 : "晉與明夷, 朝暮之象也. 故言 '明出地上', '明入地中.' '誅'亦傷也."[29]

....

28) 이정조(李鼎祚), 『주역집해(周易集解)』 권17에 우번(虞翻)의 말로 기재되어 있다.
29) 곽옹(郭雍), 『곽씨전가역설(郭氏傳家易說)』 권11.

곽옹(郭雍)이 말했다. "진괘와 명이괘는 아침과 저녁의 상징이다. 그러므로 진괘 대상전에서 '밝음이 땅위로 나온다'라 했고, 명이괘 대상전에서 '밝음이 땅속으로 들어갔다'라고 말했다. '주(誅)'는 또 한 손상함이다."

井通而困相遇也.

정(井)괘는 통함이고, 곤(困)괘는 서로 만남이다.

本義

剛柔相遇而剛見掩也.

굳센 것과 유순한 것이 서로 만났는데, 굳센 것이 가려지게 되었다.

集說

● 張子曰 : "澤無水, 理勢適然, 故曰'相遇.'"[30]

장자(張子 : 張載)가 말했다. "못에 물이 없는 것은 사리의 추세가 우연히 그러한 것이기 때문에 '서로 만난다'라고 말했다."

● 朱氏震曰 : "往來不窮, 故曰'井通', 遇陰則見掩而困, 唯其時也."[31]

---

30) 장재(張載), 『횡거역설(橫渠易説)』권3.
31) 주진(朱震), 『한상역전(漢上易傳)』권11.

주진(朱震)이 말했다. "끊임없이 왕래하기 때문에 '정(井)괘는 통함이다'라 했고, 음(陰)를 만나면 가려지게 되어 곤경에 처하는 것은 오직 그 때일 뿐이다."

● 郭氏雍曰: "'往來井井', 則其道通; 困遇剛掩, 所以爲困."[32)

곽옹(郭雍)이 말했다. "정(井)괘 괘사에서 '오고가는 사람들이 우물을 우물로 쓴다'고 하였으니 그 도가 소통한 것이다. 곤경은 굳센 것이 가려짐을 만났기 때문에 곤경에 처하게 된 것이다."

● 項氏安世曰: "自乾·坤至此三十卦,　正與「上經」之數相當. 而「下經」亦以咸·恒爲始, 以此見卦雖以「雜」名, 而乾·坤·咸·恒「上·下經」之首, 則未嘗雜也."[33)

항안세(項安世)가 말했다. "건괘·곤괘에서 여기까지 30개 괘는 바로 「상경」의 괘의 숫자와 맞먹는다. 그리고 「하경」 또한 함괘·항괘를 시작으로 삼아 이것으로 괘를 본 것이 비록 「잡괘전」으로 명칭을 붙였지만, 건괘·곤괘와 함괘·항괘가 「상경」과 「하경」의 시작이 되는 것은 혼잡하게 된 적이 없다."

---

32) 곽옹(郭雍), 『곽씨전가역설(郭氏傳家易說)』 권11.
33) 항안세(項安世), 『주역완사(周易玩辭)』 권16.

[잡괘 13]

> 咸, 速也. 恒, 久也.
> 함(咸)괘는 빠름이고, 항(恒)괘는 오래됨이다.

本義

咸速, 恒久.

함(咸)은 빠르고 항(恒)은 오래한다.

集說

● 蔡氏淵曰 : "有感則應故速, 常故能久."[34]

채연(蔡淵)이 말했다. "감동이 있으면 반응하기 때문에 빠르며, 항상되기 때문에 오래할 수 있다."

● 蔡氏淸曰 : "咸非訓速也, 天下之事, 無速於感通者, 故曰'咸速.'"[35]

....

34) 호일계(胡一桂), 『역부록찬주(易附錄纂註)』 권12에 채연(蔡淵)의 말로 기재되어 있다.
35) 채청(蔡淸), 『역경몽인(易經蒙引)』 권12 하(下).

채청(蔡淸)이 말했다. "'함(咸)'은 빠르다고 풀이하지 않는데, 천하의 일 가운데 감통하는 것보다 빠른 것이 없기 때문에 '함(咸)괘는 빠름이다'라고 말했다."

渙, 離也; 節, 止也. 解, 緩也; 蹇, 難也. 睽, 外也;
家人, 內也. 否·泰, 反其類也.

환(渙)괘는 떠남이고, 절(節)괘는 그침이다. 해(解)괘는 늦춰짐이고,
건(蹇)괘는 어려움이다. 규(睽)괘는 밖으로 하고, 가인(家人)괘는 안
으로 한다. 비(否)괘와 태(泰)괘는 그 부류를 반대로 하는 것이다.

集說

● 虞氏翻曰 : "渙散故離, 節制度數故止."[36]

우번(虞翻)이 말했다. "분산하기 때문에 떨어지고 절제하여 표준이
있기 때문에 그친다."

● 張子曰 : "天下之難旣解, 故安於佚樂, 每失於緩. 蹇者見險
而止, 故爲難."[37]

장자(張子 : 張栻)가 말했다. "천하의 어려움이 이미 해소되었기 때
문에 안일한 즐거움에 편안하여 매번 느슨함에서 잃는다. 건(蹇)은
험함을 보고 멈추기 때문에 어려움이 된다."

----

36) 이정조(李鼎祚), 『주역집해(周易集解)』 권17에 우번(虞翻)의 말로 기재
되어 있다.
37) 장식(張栻), 『남헌역설(南軒易說)』 권3.

● 項氏安世曰 : "渙·節正與井·困相反. 井以木出水, 故居塞而能通; 渙則以水浮木, 故通之極而至於散也. 節以澤上之水, 故居通而能塞; 困爲澤下之水, 故塞之極而至於困也."38)

항안세(項安世)가 말했다. "환(渙☴)괘·절(節☵)괘는 정(井☵)괘·곤(困☱)괘와 정반대이다. 정괘는 나무가 물에서 나오는 것이기 때문에 막힌 곳에 있다가 통할 수 있는데, 환괘는 물이 나무 위에 떠 있기 때문에 통함이 극진하여 흩어지게 된다. 절괘는 못 위의 물이기 때문에 통한 곳에 있다가 막힐 수 있는데, 곤괘는 못 아래의 물이기 때문에 막힘이 극진하여 곤경에 이른다."

● 徐氏幾曰 : "睽者疏而外也, 家人者親而內也."39)

서기(徐幾)가 말했다. "외면한다는 것은 소원하여 밖으로 한다는 것이고, 집안 사람은 친하여 안으로 한다는 것이다."

● 俞氏琰曰 : "渙·節皆有坎水, 風以散之則離, 澤以潴之則止."40)

유염(俞琰)이 말했다. "환괘와 절괘는 모두 감(坎☵)괘인 물이 있는데, 바람이 불어 그것을 흩으면 떨어지고, 못으로 그것을 모아두면 그친다."

---

38) 항안세(項安世), 『주역완사(周易玩辭)』 권16.
39) 웅량보(熊良輔), 『주역본의집성(周易本義集成)』 권12에 서기(徐幾)의 말로 실려 있다.
40) 유염(俞琰), 『주역집설(周易集說)』 권40.

● 徐氏在漢曰:"'外', 猶言外之也, 非內外之外. 以情之親疏爲
內外也."

서재한(徐在漢)이 말했다. "'외(外)'는 밖으로 함을 말하는 것과 같
으니, 안팎의 밖이 아니다. 정(情)의 친밀함과 소원함으로 안으로
하고 밖으로 한다는 뜻이다."

大壯則止, 遯則退也.

대장(大壯)괘는 멈춤이고, 돈(遯)괘는 물러감이다.

本義

'止', 謂不進.

'멈춘다[止]'는 것은 나아가지 않음을 말한다.

集說

● 郭氏雍曰: "壯不知止, 小人之壯也; 君子之壯, 則有止. 遯之退, 大壯之止, 則克己之道."[41]

곽옹(郭雍)이 말했다. "장성하면서 그칠 줄 모르는 것은 소인의 장성함이고, 군자의 장성함은 그침이 있다. 돈괘의 물러남과 대장괘의 그침은 자신의 사욕을 극복하는 도(道)이다."

● 趙氏玉泉曰: "大壯以壯趾爲凶, 用壯爲厲, 欲陽之知所止也. 遯以嘉遯爲吉, 肥遯爲利, 欲陽之知所處也."

---

41) 곽옹(郭雍), 『곽씨전가역설(郭氏傳家易說)』권11.

조옥천(趙玉泉)이 말했다. "대장괘는 초구(初九) 효사에서 발에 장성한 것을 흉하다고 하였고, 구삼(九三) 효사에서 장성함을 쓰는 것을 위태롭다고 하였으니, 양효가 그칠 곳을 알기를 바랐다. 돈괘는 구오(九五) 효사에서 아름다운 은둔을 길하다고 하였고, 상구(上九) 효사에서 여유 있는 은둔은 이롭다고 하였으니, 양효가 머무를 곳을 알기를 바랐다."

● 何氏楷曰 : "壯不可用, 宜止不宜躁; 遯與時行, 應退不應進. 止者難進, 退者易退也."[42]

하해(何楷)가 말했다. "장성함은 사용할 수 없으니 마땅히 그쳐야지 조급해서는 안 되며, 은둔은 때에 맞게 행해야 하니 응당 물러나야지 나아가서는 안 된다. 그친다는 것은 나아가기가 어렵다는 뜻이고, 물러난다는 것은 물러나기가 쉽다는 말이다."

---

42) 하해(何楷), 『고주역정고(古周易訂詁)』 권4.

大有, 衆也; 同人, 親也. 革, 去故也; 鼎, 取新也.
小過, 過也; 中孚, 信也. 豐, 多故; 親寡, 旅也.

대유(大有)괘는 많음이고, 동인(同人)괘는 친함이다. 혁(革)괘는 옛
것을 버림이고, 정(鼎)괘는 새 것을 취함이다. 소과(小過)괘는 지나
침이고, 중부(中孚)괘는 믿음이다. 풍(豐)괘는 연고가 많음이고, 친
한 사람이 적음은 여(旅)괘이다.

本義

旣明且動, 其故多矣.

이미 밝고 또 움직이니, 연고가 많다.

集說

● 朱氏震曰 : "大有六五, 柔得尊位而有其衆. 有其衆則衆亦歸
之, 故曰'大有, 衆也.' 同人六二, 得中得位而同乎人. 同乎人則
人亦親之, 故曰'同人, 親也.'"[43]

주진(朱震)이 말했다. "대유괘 육오(六五)효는 유순함이 높은 지위

----

43) 주진(朱震), 『한상역전(漢上易傳)』 권11.

를 얻어 그를 따르는 무리가 있다. 따르는 무리가 있으면 많은 사람들이 또한 그에게 귀의하기 때문에 '대유괘는 많음이다'라고 하였다. 동인괘 육이(六二)효는 중(中 : 가운데)을 얻고 지위를 얻어 남들과 함께 하니, 남들과 함께 하면 사람들이 또한 그를 친하게 여기기 때문에 '동인괘는 친함이다'라고 하였다."

● 潘氏夢旂曰 : "物盛則多故, 旅寓則少親."

반몽기(潘夢旂)가 말했다. "사물이 융성하면 연고가 많고 나그네가 머무르면 친한 사람이 적다."

▌離上而坎下也.

리(離)괘는 올라가고 감(坎)괘는 내려온다.

本義

火炎上, 水潤下.

불은 위로 불꽃이 올라가고, 물은 아래로 적셔 내려간다.

> # 小畜, 寡也; 履, 不處也.
> 소축(小畜)괘는 적음이고, 이(履)괘는 한 곳에 머물지 않음이다.

本義

'不處', 行進之義.

'한 곳에 머물지 않음[不處]'은 실행하여 나아간다는 뜻이다.

集說

● 龔氏原曰: "柔爲君, 故大有則衆; 柔爲臣, 故小畜則寡."[44]

공원(龔原)이 말했다. "유순한 사람이 임금이 되기 때문에 크게 가지면 많고, 유순한 사람이 신하가 되기 때문에 작게 쌓으면 적다."

案

'寡'者, 一陰雖得位而畜衆陽, 其力寡也. '不處'者, 一陰不得位而行乎衆陽之中, 不敢寧處也.

....

44) 이형(李衡), 『주역의해촬요(周易義海撮要)』 권11에 공원(龔原)의 말로 실려 있다.

'적다'는 것은 하나의 음효가 지위를 얻었지만 많은 양효를 기르니 그 힘이 적다는 뜻이다. '한 곳에 머무르지 않는다'는 것은 하나의 음효가 지위를 얻지 못했으면서 많은 양효들 가운데에서 실행하니 감히 처한 곳이 편안하지 않다는 뜻이다.

▌需, 不進也; 訟, 不親也.

수(需)괘는 나아가지 않음이고, 송(訟)괘는 친하지 않음이다.

● 李氏舜臣曰 : "乾上離下爲同人, 火性炎上而趨乾, 故曰'同人, 親也.' 乾上坎下爲訟, 水性就下, 與乾違行, 故'不親也.'"45)

이순신(李舜臣)이 말했다. "건(乾☰)이 위에 있고 리(離☲)가 아래에 있는 것이 동인(同人☰)괘가 되니, 불의 성질이 위로 불타올라서 건을 쫓기 때문에 '동인(同人)괘는 친함이다'라고 하였다. 건(乾☰)이 위에 있고 감(坎☵)이 아래에 있는 것이 송(訟☰)괘가 되니, 물의 성질이 아래로 향해가서 건과는 가는 것이 어긋나기 때문에 '친하지 않음이다'라고 하였다."

45) 유염(俞琰),『주역집설(周易集說)』권40에 이순신(李舜臣)의 말로 실려 있다.

大過, 顚也; 姤, 遇也; 柔遇剛也. 漸, 女歸待男行也.
頤, 養正也; 旣濟, 定也. 歸妹, 女之終也. 未濟, 男之
窮也. 夬, 決也. 剛決柔也, 君子道長, 小人道憂也.

대과(大過)괘는 넘어짐이고, 구(姤)괘는 만남이니 유순한 것이 굳센
것을 만남이다. 점(漸)괘는 여자가 시집감에 남자를 기다려 가는 것
이다. 이(頤)괘는 바름을 기름이고, 기제(旣濟)괘는 정해짐이다. 귀
매(歸妹)괘는 여성이 끝으로 귀착하는 것이고, 미제(未濟)괘는 남성
이 곤궁함이다. 쾌(夬)괘는 터짐이다. 굳센 것이 유순한 것을 터주니,
군자의 도(道)는 자라나고 소인의 도는 근심스럽다.

本義

自大過以下, 卦不反對, 或疑其錯簡. 今以韻協之, 又似非誤,
未詳何義.

대과(大過)괘로부터 아래는 괘가 반대되지 않으니, 어떤 사람은 그
것이 착간(錯簡)이라고 의심한다. 이제 운(韻)으로 맞추어보면 또
오류(誤謬)가 아닌 것 같지만, 무슨 의미인지 분명하지 않다.

集說

● 韓氏伯曰 : "剛柔失位, 其道未濟, 故曰'窮也.'"[46]

한백(韓伯)이 말했다. "굳센 것과 유순한 것이 지위를 잃어 그 도(道)가 구제되지 않았기 때문에 '곤궁하다'고 했다."

● 『朱子語類』云 : "女待男而行, 所以爲漸."[47]

『주자어류』에서 말했다. "여자는 남자를 기다렸다가 시집가는데, 점진적으로 해나가야 하기 때문이다."

● 又云 : "「雜卦」以乾爲首, 不終之以他卦, 而必終之以夬者, 蓋夬以五陽決一陰. 決去一陰, 則復爲純乾矣."[48]

(신안 호씨가) 말했다. "「잡괘전」이 건괘를 첫머리로 하여 다른 괘로 끝내지 않고 꼭 쾌괘로 끝난 것은 쾌괘에서 5개의 양효가 1개의 음효를 터주기 때문이다. 1개의 음효를 터주면 다시 순수한 건괘가 된다."

● 項氏安世曰 : "大過之象, 本末俱弱, 而在「雜卦」之終, 聖人作易, 示天下以無終窮之理, 敎人以撥亂反正之法. 是故原其亂之始生於姤, 而極其勢之上窮於夬, 以示微之當防, 盛之不足畏. 自夬而乾, 有終而復始之義也."[49]

46) 한백(韓伯), 『주역주소(周易註疏)』 권13.
47) 주희, 『주자어류』 권77, 71조목.
48) 웅량보(熊良輔), 『주역본의집성(周易本義集成)』 권12에 신안 호씨(新安胡氏)의 말로 실려 있다.
49) 항안세(項安世), 『주역완사(周易玩辭)』 권16.

항안세(項安世)가 말했다. "대과괘의 모습은 근본과 말단이 모두 약한데 「잡괘전」의 끝에 있는 것은, 성인이 역을 지음에 천하 사람들에게 모든 것이 끝나는 이치가 없음을 보여주어 사람들에게 어지러운 세상을 바로잡고 정도(正道)로 돌아가는 방법을 가르치기 위해서이다. 때문에 그 혼란의 시작이 구(姤)에서 시작되는 것을 추구하고, 그 형세의 꼭대기가 쾌괘에서 궁극임을 궁구하여, 은미한 것은 마땅히 방지해야하고 성대한 것은 두려워하기에 충분하지 않음을 보여주었다. 쾌괘에서 건괘가 되는 것은 끝이 있으면 다시 시작한다는 의미이다."

● 又曰 : "自大過以下, 特皆以男女爲言, 至夬而明言之曰'君子 · 小人', 然則聖人之意, 斷可識矣."[50]

(항안세가) 또 말했다. "대과괘에서 그 아래는 특히 모두 남성과 여성으로 말했는데, 쾌괘에 이르러 '군자 · 소인'으로 분명히 말했으니, 그렇다면 성인의 뜻을 확실히 알 수 있을 것이다."

● 胡氏炳文曰 : "『本義』謂'自大過以下, 或疑其錯簡, 以韻協之, 又似非誤.' 愚竊以爲'雜物撰德, 非其中爻不備', 此蓋指中四爻互體而言也. 「先天圖」之左, 互復 · 頤 · 旣濟 · 家人 · 歸妹 · 睽 · 夬 · 乾八卦, 右互姤 · 大過 · 未濟 · 解 · 漸 · 蹇 · 剝 · 坤八卦. 此則於右取姤 · 大過 · 未濟 · 漸四卦, 於左取頤 · 旣濟 · 歸妹 · 夬四卦. 各擧其半, 可兼其餘矣. 始於乾, 終於夬, 夬之一陰, 決盡則爲乾也."[51]

---

50) 항안세(項安世), 『주역완사(周易玩辭)』 권16.

호병문(胡炳文)이 말했다. "『주역본의』에서 '대과(大過)괘로부터 아래에 대해 어떤 사람은 그것이 착간(錯簡)이라고 의심하지만, 운(韻)으로 맞추어보면 또 오류(誤謬)가 아닌 것 같다'라고 말했다. 내 생각에, (본문 [계사하 9-3]에서) '사물을 뒤섞어서 덕을 찬술하는 것과 같은 경우는 '가운데 효[中爻:6개 효 가운데 4개 효]'가 아니면 갖추지 못할 것이다'라고 하였으니, 이는 대개 가운데 4개의 효가 호체(互體)[52]임을 가리켜 말한 것이다. 「선천도」의 왼쪽은 복(復)괘 · 이(頤)괘 · 기제(旣濟)괘 · 가인(家人)괘 · 귀매(歸妹)괘 · 규(睽)괘 · 쾌(夬)괘 · 건(乾)괘의 8개 괘를 호괘로 하고, 오른쪽은 구(姤)괘 · 대과(大過)괘 · 미제(未濟)괘 · 해(解)괘 · 점(漸)괘 · 건(蹇)괘 · 박(剝)괘 · 곤(坤)괘의 8개 괘를 호괘로 한다. 이는 오른쪽에서 구(姤)괘 · 대과(大過)괘 · 미제(未濟)괘 · 점(漸)괘의 4개 괘를 취한 것이고, 왼쪽에서 이(頤)괘 · 기제(旣濟)괘 · 귀매(歸妹)괘 · 쾌(夬)괘의 4개 괘를 취한 것이다. 각각 그 절반을 든 것은 그 나머지를 겸할 수 있기 때문이다. 건괘에서 시작하여 쾌괘에서 끝난 것은 쾌괘의 1개의 음효가 다 터주면 건괘가 되기 때문이다."

---

51) 호병문(胡炳文), 『주역본의통석(周易本義通釋)』 권8.
52) 호체(互體) : 한 괘의 상 · 하 두 체(體) 중 제2효부터 제4효까지나, 제3효부터 제5효까지를 취하여 얻는 괘를 말한다. '호괘(互卦)'라고도 한다. 예컨대 간하 곤상(艮下坤上)의 겸괘(䷜)에서 제2효부터 제4효까지를 취하여 감괘(☵)와 제3효부터 제5효까지를 취하여 진괘(☳)를 얻는 따위이다.

序卦・雜卦明義

「서괘전」과 「잡괘전」의 의미를 밝힘

제22권

卦之序也·雜也, 皆出於文王也. 其所以序之雜之必有深意,
亦必有略例. 至夫子爲之「傳」, 乃因其次第而發明陰陽相生
相對之義, 以見易道之無窮. 蓋文王之立法至精, 而夫子之見
理至大, 二者皆不可以不知也.

괘를 차례 지우고 섞는 방법은 모두 문왕에게서 나왔다. 그 차례지
우고 섞은 것에는 반드시 깊은 뜻이 있고 또한 반드시 간략한 용례
가 있었을 것이다. 공자의 「대전」에 이르러 그 차례에 따라 음양이
서로 생겨나고 서로 짝하는 의미를 드러내 밝혀 역(易)의 도(道)가
끝이 없음을 나타내었다. 문왕이 법도를 세운 것은 지극히 정미하
고, 공자가 이치를 본 것이 지극히 위대하니 그 둘은 모두 알지 않
을 수 없다.

韓孔諸儒, 疑卦序若如夫子所言, 則不應卦皆反對. 故『程傳』
於卦下旣述夫子之意, 又爲「上下篇義」以繹其未盡之指. 至
歐陽修諸人, 直斥「序卦」爲非孔子之書者, 妄也. 若「雜卦」則
乾·坤之後, 繼以比·師, 其次敘又與「序卦」無一同者, 是豈
無義存焉? 而諸儒皆莫之及, 唯元儒胡氏於篇終微發其端,
未竟其緖也. 今因程·胡之說, 而詳推二篇之所以類序錯綜
者, 目曰「明義」以附焉.

한강백(韓康伯)과 공영달(孔穎達) 등과 같은 학자들은 괘의 차례가
공자가 말한 것이라면 괘가 모두 반대되어서는 안 될 것이라고 의
심했다. 그러므로 『정전(程傳 : 伊川易傳)』에서는 괘 아래에 공자의

뜻을 기술하고, 또 「상하편의(上下篇義)」를 지어 모두 설명하지 못한 취지를 풀어내었다. 구양수(歐陽修)와 같은 사람의 경우는 곧바로 「서괘전」이 공자의 글이 아니라고 배척하니, 망령되었다. 만약 「잡괘전」이라면 건괘와 곤괘 뒤에 비(比)괘와 사(師)괘로 이어져, 그 차례가 또 「서괘전」과는 하나도 같은 것이 없지만, 이 어찌 보존된 의미가 없겠는가? 여러 학자들이 모두 미치지 못했는데, 오직 원(元)대 학자 호씨(胡氏 : 胡一桂)가 책의 끝부분에 그 단서를 은미하게 일으켰으나 그 실마리를 끝맺지 못했다. 이제 정이(程頤)와 호일계(胡一桂)의 이론에 따라 「서괘전」과 「잡괘전」 두 편에서 차례를 매긴 것이 뒤섞인 까닭을 자세히 추론하여, 제목을 「명의(名義)」라고 붙인다.

「서괘序卦」

정자(程子 : 程頤)의 「상하편의(上下篇義)」가 있으니,
이제 그 뜻을 받들어 자세히 추론한다.
[程子有上下篇義, 今祖其意而詳推之.]

[서괘명의 0]

「上篇」, 陽也, 天道也. 故凡天道之正, 陽卦陽爻之盛, 及陰
陽長少先後有序者, 皆「上篇」之卦也. 「下篇」, 陰也, 人事也.
故凡人事之交, 陰卦陰爻之盛, 及陰陽交感雜亂, 長少先後無
序者, 皆「下篇」之卦也.

「상편」은 양(陽)이고 하늘의 도이다. 그러므로 하늘의 도가 바른 것
과 양괘·양효가 융성한 것, 그리고 음양의 장소(長少 : 연장자·연
소자)와 선후에 순서가 있는 것은 모두 「상편」의 괘이다. 「하편」은
음(陰)이고 사람의 일이다. 그러므로 사람의 일에서 교류와 음괘·
음효가 융성한 것, 그리고 음양이 교감하여 난잡하게 섞일 때 장소
(長少)와 선후의 순서가 없는 것은 모두 「하편」의 괘이다.

故以八卦而論, 乾·坤, 陰陽之純也; 坎·離, 陰陽之中也, 皆
正中之正, 故爲陽. 震·巽, 陰陽始交也, 艮·兌, 交之極也,
皆正中之交, 故爲陰. 以八卦之交而論, 唯否·泰天地之交,
交中之正也, 故爲陽, 咸·恒·損·益·旣·未濟六子之交, 交

中之交也, 故爲陰.

그러므로 8괘로 논하면, 건·곤은 음·양의 순수함이고 감·리는 음양의 알맞음으로 모두 바른 것 가운데 바른 것이기 때문에 양이 된다. 진·손은 음과 양이 처음 교류하는 것이고, 간·태는 교류가 극진한 것이니 모두 바른 것 가운데 교류이기 때문에 음이 된다. 8괘의 교류로 논하면, 오직 비(否)와 태(泰)괘가 하늘과 땅의 교류로 교류 가운데 바른 것이기 때문에 양이 되고, 함(咸)괘·항(恒)괘·손(損)괘·익(益)괘·기제(旣濟)괘·미제(未濟)괘 여섯 자식의 교류는 교류 가운데 교류이기 때문에 음이 된다.

又乾交陽卦凡六, 需·訟·無妄·大畜皆爲陽盛, 唯以爻畫參之, 則大壯爲陽過中, 遯爲陰浸長, 故雖陽卦而居陰也. 坤交陰卦凡六, 晉·明夷·萃·升皆爲陰盛, 唯臨則陽浸長, 觀則陰過中, 故雖陰卦而居陽也.

또 건(乾)이 양괘와 교류하는 것이 6개인데, 수(需)괘·송(訟)괘·무망(無妄)괘·대축(大畜)괘는 양이 융성한 것이 되고, 오직 효획으로 참조하면 대장(大壯)괘는 양이 알맞음을 넘어선 것이 되고, 둔(遯)괘는 음이 스며들어 장성한 것이 되기 때문에 비록 양괘이지만 음에 자리 잡는다. 곤(坤)이 음괘와 교류하는 것은 6개인데, 진(晉)괘·명이(明夷)괘·췌(萃)괘·승(升)괘는 음이 융성한 것이 되고, 오직 임(臨)괘는 양이 스며들어 장성한 것이 되고, 관(觀)괘는 음이 알맞음을 넘어선 것이 되기 때문에 비록 음괘이지만 양에 자리 잡는다.

又乾交陰卦凡六, 小畜·履·同人·大有皆五陽而一陰, 陽之盛也, 唯以爻畫參之, 則夬爲陽已亢, 姤爲陰始生, 故不得爲陽而爲陰也. 坤交陽卦凡六, 師·比·謙·豫·剝·復皆五陰而一陽. 凡陽有主陰之義, 陰雖多, 不爲盛而爲役, 陽雖少, 不爲衰而爲主, 故皆不爲陰而爲陽也.

또 건(乾)이 음괘와 교류하는 것이 6개인데, 소축(小畜)괘·이(履)괘·동인(同人)괘·대유(大有)괘는 5개의 양에 1개의 음으로 양이 융성한 것이고, 오직 효획으로 참조하면, 쾌(夬)괘는 양이 이미 끝까지 올라간 것이 되고, 구(姤)괘는 음이 처음 생겨나는 것이 되기 때문에, 양이 될 수 없고 음이 된다. 곤(坤)괘가 양괘와 교류하는 것이 6개인데, 사(師)괘·비(比)괘·겸(謙)괘·예(豫)괘·박(剝)괘·복(復)괘가 5개의 음과 1개의 양이다. 무릇 양은 음을 주관하는 의미가 있으니, 음이 비록 많더라도 융성하지 못하고 부림을 당하며, 양이 비록 적더라도 쇠퇴하지 않고 주인이 되기 때문에 모두 음이 되지 않고 양이 된다.

又陽卦相交凡六, 屯·蒙·頤長少先後以序者也, 故爲陽; 蹇·解·小過失序者也, 故爲陰. 又陰卦相交凡六, 獨大過爲頤之對, 又得其序, 故亦爲陽; 家人·睽·革·鼎·中孚皆陰也, 革·鼎得序, 故猶爲陰中之陽也. 又陰·陽相交之卦凡十有二, 其得序者六, 隨·蠱·噬嗑·賁爲陽中之陰, 井·困爲陰中之陽; 其失序者六, 漸·歸妹·豐·旅·渙·節陰中之陰也.

또 양괘가 서로 교류하는 것이 6개인데, 준(屯)괘·몽(蒙)괘·이(頤)괘는 장소(長少)와 선후가 순서대로이기 때문에 양이 되고, 건(蹇)

괘·해(解)괘·소과(小過)괘는 순서를 잃었기 때문에 음이 된다. 또 음괘가 서로 교류하는 것이 6개인데, 유독 대과(大過䷛)괘는 이(頤䷚)괘의 상대가 되고 또 그 순서를 얻었기 때문에 또한 양이며, 가인(家人)괘·규(睽)괘·혁(革)괘·정(鼎)괘·중부(中孚)괘는 모두 음이지만 혁(革)괘와 정(鼎)괘는 순서를 얻었기 때문에 또한 음 가운데 양이 된다. 또 음과 양이 서로 교류하는 괘는 모두 12개인데, 그 가운데 순서를 얻은 것이 6개로서 수(隨)괘·고(蠱)괘·서합(噬嗑)괘·비(賁)괘는 양 가운데 음이고, 정(井)괘와 곤(困)괘는 음 가운데 양이며, 순서를 잃은 것이 6개로서 점(漸)괘·귀매(歸妹)괘·풍(豐)괘·여(旅)괘·환(渙)괘·절(節)괘는 음 가운데 음이다.

二篇之分旣定, 其逐節逐卦次第先後, 則以陰陽盛衰消長之義次之, 如後論.

상하 두 편의 나뉨이 이미 정해졌으니, 그 절(節)을 쫓고 괘를 쫓아 선후를 순서 지으면 음양의 융성·쇠퇴와 사그라짐·불어남의 의미로 그것을 차례 매기는 것이 아래에서 논한 것과 같다.

乾·坤·屯·蒙·需·訟·師·比·小畜·履.

건(乾)괘·곤(坤)괘·준(屯)괘·몽(蒙)괘·수(需)괘·송(訟)괘·사(師)괘·비(比)괘·소축(小畜)괘·이(履)괘.

右陽卦第一節.

이는 양괘 제1절이다.

泰·否·同人·大有·謙·豫.

태(泰)괘·비(否)괘·동인(同人)괘·대유(大有)돼·겸(謙)괘·예(豫)
괘.

右陽卦第二節.

이는 양괘 제2절이다.

隨·蠱·臨·觀·噬嗑·賁·剝·復.

수(隨)괘·고(蠱)괘·임(臨)괘·관(觀)괘·서합(噬嗑)괘·비(賁)괘·
박(剝)괘·복(復)괘.

右陽卦第三節.

이는 양괘 제3절이다.

無妄·大畜·頤·大過·坎·離.

무망(無妄)괘·대축(大畜)괘·이(頤)괘·대과(大過)괘·감(坎)괘·
리(離)괘.

右陽卦第四節.

이는 양괘 제4절이다.

咸·恒·遯·大壯·晉·明夷·家人·睽·蹇·解.

함(咸)괘·항(恒)괘·둔(遯)괘·대장(大壯)괘·진(晉)괘·명이(明夷)괘·가인(家人)괘·규(睽)괘·건(蹇)괘·해(解)괘.

右陰卦第一節.

이는 음괘 제1절이다.

損·益·夬·姤·萃·升.

손(損)괘·익(益)괘·쾌(夬)괘·구(姤)괘·췌(萃)괘·승(升)괘.

右陰卦第二節.

이는 음괘 제2절이다.

困 · 井 · 革 · 鼎 · 震 · 艮 · 漸 · 歸妹 · 豐 · 旅 · 巽 · 兌.

곤(困)괘 · 정(井)괘 · 혁(革)괘 · 정(鼎)괘 · 진(震)괘 · 간(艮)괘 · 점(漸)괘 · 귀매(歸妹)괘 · 풍(豐)괘 · 여(旅)괘 · 손(巽)괘 · 태(兌)괘.

右陰卦第三節.

이는 음괘 제3절이다.

渙·節·中孚·小過·旣濟·未濟.

환(渙)괘·절(節)괘·중부(中孚)괘·소과(小過)괘·기제(旣濟)괘·
미제(未濟)괘.

右陰卦第四節.

이는 음괘 제4절이다.

陽卦第一節.

양괘 제1절.

乾·坤者, 衆卦之宗, 故居篇首. 先儒謂『周易』首乾, 則此是
文王所定, 不可易也. 乾·坤之外, 三男爲尊. 屯·蒙者, 三男
之卦也, 而皆長少先後不失其序, 得陽道之正, 故次乾·坤焉.
需·訟上下皆陽卦, 二·五皆陽爻, 陽之盛也, 故次屯·蒙焉.
師·比皆以一陽爲衆陰主, 而居二·五中位, 亦陽之盛也, 故
次需·訟焉. 小畜·履五陽一陰, 陽旣極多, 而二陰又退居三·
四之偏位, 皆陽盛之卦也, 故次師·比焉.

건(乾☰)괘와 곤(坤☷)괘는 여러 괘의 근본이기 때문에 책의 첫머리
에 자리 잡았다. 선대 학자들이 『주역』에서 건괘가 으뜸이라고 말
했으니, 이는 문왕이 정한 것으로 변할 수 없다. 건괘와 곤괘 외에
는 3명의 남자 자식이 존귀하다. 준괘(屯☵)괘와 몽(蒙☶)괘는 3명
의 남자 자식의 괘이고, 모두 장소(長少)와 선후에 그 순서를 잃지
않아 양의 도(道)가 바름을 얻었기 때문에 건괘·곤괘 다음으로 하
였다. 수(需☵)괘와 송(訟☰)괘는 상하 양체가 모두 양괘이고, 제2
효와 제5효가 모두 양효로 양이 융성하기 때문에 준괘·몽괘 다음
으로 하였다. 사(師☷)괘와 비(比☵)괘는 모두 1개의 양이 여러 음
의 주인이 되고 제2효와 제5효의 가운데 자리에 자리 잡아 또한 양

이 융성한 것이기 때문에 수괘·송괘 다음으로 하였다. 소축(小畜
☴)괘와 이(履☱)괘는 5개의 양과 1개의 음으로 양이 지극히 많고,
두 곳의 음이 또 제3효와 제4효의 치우친 자리로 물러나 자리 잡아
모두 양이 융성한 괘이기 때문에 사괘·비괘 다음으로 하였다.

陽卦第二節
양괘 제2절

泰·否者, 乾·坤之合體, 義同乾·坤者也. 然以其乾·坤之交,
故亞於乾·坤. 同人·大有義反師·比. 然以其陽多極盛, 故
同小畜·履而亞於師·比. 謙·豫義反小畜·履. 然陽爲卦主,
故同師·比而亞於小畜·履. 此六者並爲陽盛之次也.

태(泰䷊)괘와 비(否䷋)괘는 건·곤의 체를 합했는데, 의미가 건괘·
곤괘와 같은 것이다. 그러나 건괘와 곤괘가 교류한 것이기 때문에
건괘·곤괘에 버금한다. 동인(同人䷌)괘와 대유(大有䷍)괘는 의미가
사괘·비괘와 반대이다. 그러나 양이 많고 지극히 융성하기 때문에
소축괘·이괘와 같고 사괘·비괘에 버금한다. 겸(謙䷎)괘와 예(豫
䷏)괘는 의미가 소축괘·이괘와 반대이다. 그러나 양이 괘의 주인이
기 때문에 사괘·비괘와 같고 소축괘·이괘에 버금한다. 이 6개의
괘는 아울러 양이 융성한 차례가 된다.

陽卦第三節

양괘 제3절

以上二節, 除屯·蒙爲三男純卦, 餘則皆有乾·坤爲主, 未嘗
有男女之交也, 故曰陽盛. 至隨·蠱·噬嗑·賁然後有男女之
交, 是陰始生也. 然而長少先後皆不失序, 故猶爲陽中之陰.
隨·蠱之後, 繼以臨·觀·噬嗑, 賁之後, 繼以剝·復, 則陽又
盛矣.

위의 두 절은 준괘·몽괘가 3명의 남자 자식의 순수한 괘가 되는 것
을 제외하고 나머지는 모두 건·곤이 주인이 되어 남녀의 교류가 있
은 적이 없기 때문에 양이 융성하다고 하였다. 수(隨䷐)괘·고(蠱
䷑)괘·서합(噬嗑䷔)괘·비(賁䷕)괘에 이른 뒤에 남녀의 교류가 있
으니 이는 음이 비로소 생겨나는 것이다. 그러나 장소(長少)와 선후
에 모두 순서를 잃지 않았기 때문에 또한 양 가운데 음이 된다. 수
괘·고괘 뒤에 임(臨䷒)괘·관(觀䷓)괘·서합(噬嗑䷔)괘가 이어지고,
비괘 뒤에 박(剝䷖)괘·복(復䷗)괘가 이어지니, 양이 또한 융성하다.

陽卦第四節
양괘 제4절

無妄·大畜, 乾與陽卦合體, 義同需·訟. 然二·五不皆陽爻, 故亞於需·訟. 頤·大過男女類, 分長少先後, 義同屯·蒙. 然二卦不皆陽卦, 故亞於屯·蒙. 坎·離得天地之中氣, 義同乾·坤. 然六子之卦也, 故又亞於乾·坤. 此六卦者, 顚倒與篇首六卦相對, 並爲陽復盛之卦也.

무망(无妄☳)괘와 대축(大畜☶)괘는 건과 양괘가 체를 합친 것으로 의미는 수괘·송괘와 같다. 그러나 제2효와 제5효가 모두 양효는 아니기 때문에 수괘·송괘에 버금한다. 이(頤☶)괘와 대과(大過☴)괘는 남녀가 비슷하고 장소(長少)와 선후를 나누니 의미는 준괘·몽괘와 같다. 그러나 두 괘가 모두 양괘는 아니기 때문에 준괘·몽괘에 버금한다. 감(坎☵)괘와 리(離☲)괘는 하늘과 땅의 알맞은 기(氣)를 얻어 의미가 건괘·곤괘와 같다. 그러나 6명 자식의 괘이기 때문에 건괘·곤괘에 버금한다. 이 6개의 괘는 모두 거꾸로 뒤바꿔서 책 첫머리의 6개 괘와 서로 짝하고, 아울러 양이 다시 융성한 괘가 된다.

陰卦第一節
음괘 제1절

「下篇」主人事之交, 故以夫婦之道始. 男女之合, 少則情專,
老則誼篤, 故咸爲首, 恒次之. 遯·大壯陰長陽過, 陰之盛也,
故次咸·恒. 晉·明夷上下皆陰卦, 二·五皆陰爻, 義反陽之
需·訟; 家人·睽三陰之卦也, 而又長少失序, 陰道也, 義反陽
之屯·蒙. 故四卦次遯·大壯. 蹇·解本三陽之卦, 而亦長少
失序, 義反屯·蒙. 故從家人·睽焉.

「하편」은 사람의 일에서 교류를 위주로 하기 때문에 부부의 도(道)
로 시작한다. 남녀의 결합은 어려서는 오로지 정(情)이고 늙어서는
의(義)가 돈독하기 때문에 함(咸☲)괘를 첫머리로 하고 항(恒☲)괘
를 다음으로 한다. 둔(遯☲)괘와 대장(大壯)괘는 음이 자라나고
양은 지나쳐 음이 융성하기 때문에 함괘·항괘 다음에 온다. 진(晉
☲)괘와 명이(明夷☲)괘는 상체와 하체가 모두 음괘이고 제2효와
제5효가 모두 음효이니, 의미는 양의 수괘·송괘와 상반되며, 가인
(家人☲)괘와 규(睽☲)괘는 3음의 괘이고 또 장소(長少)가 순서를
잃어 음의 도(道)이니 의미는 양의 준괘·몽괘와 상반된다. 그러므
로 이 4개의 괘는 둔괘·대장괘 다음에 온다. 건(蹇☲)괘와 해(解
☲)괘는 본래 3양의 괘이고 또한 장소(長少)가 순서를 잃었으니 의
미는 준괘·몽괘와 상반된다. 그러므로 가인괘·규괘를 좇는다.

陰卦第二節
음괘 제2절

損・益二少二長之交, 義同咸・恒; 夬・姤陽極陰生, 義同遯・
大壯; 萃・升坤與陰卦交, 義同晉・明夷, 故六卦相繼, 陰盛之
次也.

손(損䷨)괘와 익(益䷩)괘는 두 소(少)와 두 장(長)이 교류하니 의미
는 함괘・항괘와 같고, 쾌(夬䷪)괘와 구(姤䷫)괘는 양이 지극하고
음이 생겨나니 의미는 둔괘・대장괘와 같으며, 췌(萃䷬)괘와 승(升
䷭)괘는 곤이 음괘와 교류하니 의미는 진괘・명이괘와 같다. 그러므
로 이 6개의 괘가 서로 잇는 것은 음이 융성하는 순서이다.

陰卦第三節
음괘 제3절

困·井男女交而以序, 義同陽之隨·蠱·噬嗑·賁, 陰中之陽
也. 革·鼎三陰之卦, 同家人·睽. 然長少以序, 故從困·井,
猶大過之從頤也. 震·艮雖「下經」之主, 然本陽卦也. 故此六
卦並爲陰小之陽. 漸·歸妹·豊·旅男女交而失序, 與困·井·
革·鼎反. 巽·兌陰卦, 與震·艮反. 此六卦則又自陽而向乎
陰矣.

곤(困☵)괘와 정(井☵)괘는 남녀가 교류하되 차례대로 하니 의미는
양의 수괘·고괘·서합괘·비괘와 같아 음 가운데 양이다. 혁(革☲)
괘와 정(鼎☲)괘는 3음의 괘이니 가인괘·규괘와 같다. 그러나 장소
(長少)를 차례대로 하기 때문에 곤괘·정괘를 좇으니 마치 대과괘가
이괘를 좇는 것과 같다. 진(震☳)괘와 간(艮☶)괘는 비록 「하경」의
주인이지만 본래 양괘이다. 그러므로 이 6개의 괘는 아울러 음이
작은 양이 된다. 점(漸☶)괘와 귀매(歸妹☳)괘와 풍(豊☳)괘와 여
(旅☶)괘는 남녀가 교류하되 순서를 잃었으니 곤괘·정괘·혁괘·정
괘와 상반된다. 손(巽☴)괘와 태(兌☱)괘는 음괘이니 진괘·간괘와
상반된다. 이 6개의 괘는 또 양에서 음으로 향해가는 것이다.

陰卦第四節

음괘 제4절

漸·歸妹·豐·旅·渙·節六卦, 男女交而失序, 相類也. 然漸·
歸妹兩卦, 長男長女皆在焉, 豐·旅有長男在焉, 渙·節唯長
女在焉. 則渙·節者變之窮, 陰道之極也. 中孚·小過與「上
篇」頤·大過相對. 大過雖陰卦, 以得其序而從頤. 故小過雖陽
卦, 以失其序而從中孚. 其義與蹇·解之從家人·睽者同, 並
爲陰復盛之卦也. 旣濟·未濟終篇, 所重在未濟. 蓋三陽失位,
男之窮也, 陰盛之極也. 然物不可窮也, 故受之以未濟終焉.

점괘·귀매괘·풍괘·여괘·환(渙䷺)괘·절(節䷻)괘의 6개 괘는 남녀
가 교류하되 순서를 잃으니 같은 부류이다. 그러나 점괘와 귀매괘
두 괘는 장남과 장녀가 모두 거기에 있고, 풍괘와 여괘는 장남이 거
기에 있지만, 환괘와 절괘는 오직 장녀가 거기에 있다. 그렇다면 환
괘와 절괘는 변함이 끝까지 간 것이니 음의 도가 지극하다. 중부(中
孚䷼)괘와 소과(小過䷽)괘는 「상편」의 이괘·대과괘와 서로 마주한
다. 대과괘는 비록 음괘이지만 그 순서를 얻어 이괘를 좇는다. 그러
므로 소과괘는 비록 양괘이지만 그 순서를 잃어 중부괘를 좇는다.
그 의미는 건괘·해괘가 가인괘·규괘를 좇는 것과 같으니, 아울러
음이 다시 융성하는 괘가 된다. 기제(旣濟䷾)괘와 미제(未濟䷿)괘
는 책을 끝맺는데 중점은 미제괘에 있다. 대개 3양이 자리를 잃는

것은 남자가 끝까지 가고 음이 지극히 융성한 때이다. 그러나 만물은 끝까지 갈 수 없기 때문에 그것을 받아 미제괘로 끝맺었다.

『서괘』원도(『序卦』圓圖)

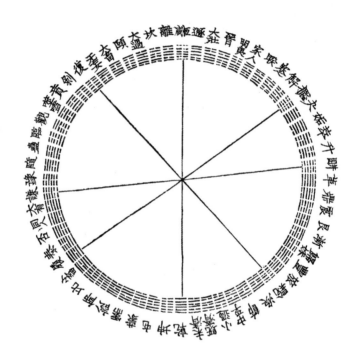

孔子「繫辭傳」, 敍「上下篇」九卦曰, '履, 德之基也; 謙, 德之柄也; 復, 德之本也; 恒, 德之固也; 損, 德之修也; 益, 德之裕也; 困, 德之辨也; 井, 德之地也; 巽, 德之制也.' 先儒以其卦推配, 「上下經」皆相對. 蓋乾與咸·恒對, 履與損·益對, 謙與困·井對, 復與巽·兌對. 每以「下篇」兩卦, 對「上篇」一卦, 凡十二卦而二篇之數適齊矣. 然十二卦之中, 又止取九卦者, 乾·咸其始也, 兌其終也. 略其終始, 而取其中間之卦, 以著陰陽消息盛衰之次, 故止於九.

공자가 「계사전(본문 [계사하 7-2])」에서 「상하편」의 9개 괘를 서술하여 '이괘(履☱)는 덕의 기초이고, 겸괘(謙☷)는 덕의 자루이며, 복괘(復☷)는 덕의 근본이고, 항괘(恒☳)는 덕의 확고함이며, 손괘(損☶)는 덕의 수양이고, 익괘(益☴)는 덕의 넉넉함이며, 곤괘(困☱)는 덕의 분별이고, 정괘(井☵)는 덕의 자리이며, 손괘(巽☴)는 덕의 재제(裁制)이다'라고 하였다. 선대 학자들은 그 괘로 미루어 짝을 지었는데 「상하경」이 모두 서로 짝하였다. 대개 건괘는 함괘·항괘와 짝하고, 이괘는 손괘·익괘와 짝하며, 겸괘는 곤괘·정괘와 짝하고, 복괘는 손괘·태괘와 짝했다. 매번 「하편」의 2개 괘를 「상편」의 1개 괘에 짝하니 모두 12개 괘이고 두 편의 수가 알맞게 가지런해졌다. 그러나 12개의 괘 가운데 또 다만 9개의 괘를 취한 것은 건괘와 함괘는 그 시작이고, 태괘는 그 끝이기 때문이다. 그 시작과 끝을 생략하고 그 중간의 괘를 취하여 음양의 사라지고 불어나며 융성하고 쇠퇴하는 차례를 드러내었기 때문에 9개에서 그쳤다.

前所推「上下篇」各四節, 陰陽消息盛衰之次, 與此圖密合.

앞에서 미루어본 「상하편」은 각각 4절에서 음양이 사라지고 불어나며 융성하고 쇠퇴하는 차례가 이 도형과 긴밀하게 부합한다.

「잡괘雜卦」

선대 학자들 가운데 잡괘를 호괘로 여긴 사람이 있으니,
이제 그 주장을 사용하여 그것을 자세히 추론한다.
[先儒有以雜卦爲互卦者, 今用其說而詳推之.]

[잡괘명의 1]

4상(象)이 서로 교류하여 16사(事)가 되는 도형

[四象相交爲十六事圖]

互成復	互成頤	互成旣濟	互成家人	互成歸妹	互成睽	互成夬	互成乾
少陰交太陰	少陰交少陰	少陰交少陽	少陰交太陽	太陽交太陰	太陽交少陽	太陽交少陰	太陽交太陽

互成姤　互成大過　互成未濟　互成解　互成漸　互成蹇　互成剝　互成坤

少陽交太陽　少陽交少陰　少陽交少陽　少陰交太陽　少陰交太陰　太陰交少陰　太陰交少陽　太陰交太陰

此互卦之根也. 唯其方成四畫時, 所互有此十六卦. 故六十四卦成後, 以中爻互之, 只此十六卦. 旣以六爻循環互之, 亦只此十六卦.

이는 호괘의 뿌리이다. 바야흐로 4개의 획을 이루었을 때 호괘가 되는 것이 위의 16개 괘이다. 그러므로 64괘가 이루어진 뒤에 가운데 효로 호괘를 만드는 것은 이 16개 괘일 뿐이다. 이미 6개 효로 순환하여 호괘를 만든 뒤일지라도 또한 이 16개의 괘일 뿐이다.

四畫互成十六卦. 又以其中二畫觀之, 則互乾・坤・剝・復・大過・頤・姤・夬者, 皆中二爻爲太陽太陰者也; 互漸・歸妹・解・蹇・睽・家人・旣濟・未濟者, 皆中二爻爲少陽少陰者也. 故十六事歸於四象而已.

4개의 획이 호괘로 16개의 괘를 만든다. 또 그 가운데 2개의 획으로 살펴보면, 건(乾)괘・곤(坤)괘・박(剝)괘・복(復)괘・대과(大過)괘・이(頤)괘・구(姤)괘・쾌(夬)괘를 호괘로 하는 것은 모두 가운데 2개 효가 태음과 태양이 되는 것이고, 점(漸)괘・귀매(歸妹)괘・해(解)괘・건(蹇)괘・규(睽)괘・가인(家人)괘・기제(旣濟)괘・미제(未濟)괘를 호괘로 하는 것은 모두 가운데 2개 효가 소음과 소양이 되는 것이다. 그러므로 16사(事)는 4상(象)에 귀결될 뿐이다.

64괘 가운데 4개 괘의 호괘 도형[六十四卦中四爻互卦圖]

以上八卦皆互乾坤　乾　坤　剝　復　大過　頤　姤　夬

以上八卦皆互旣未濟　解　蹇　睽　家人　漸　歸妹　旣濟　未濟

以上八卦皆互剝復　比　師　臨　觀　屯　蒙　損　益

以上八卦皆互姤夬　咸　恆　大壯　遯　大有　同人　革　鼎

以上八卦皆互睽家人 이상팔괘개호규가인

以上八卦皆互解蹇 以上八卦皆互大過頤 以上八卦皆互漸歸妹

兌　　震　　渙　　大畜
巽　　艮　　節　　无妄
井　　謙　　小過　萃
困　　豫　　中孚　升
小畜　噬嗑　豐　　隨
履　　賁　　旅　　蠱
需　　晉　　離　　否
訟　　明夷　坎　　泰

16괘가 상호간에 4개 괘를 이루는 도형[十六卦互成四卦圖]

夬　姤　頤　大過　復　剝　坤　乾
互乾　互乾　互坤　互乾　互坤　互坤　互坤　互乾

未濟　旣濟　家人　睽　蹇　解　歸妹　漸
互旣濟　互未濟　互未濟　互旣濟　互未濟　互旣濟　互旣濟　互未濟

互乾·坤·旣濟·未濟之十六卦, 卽諸卦之所互而成者也. 故
十六卦又只成乾·坤·旣濟·未濟四卦, 猶十六事之歸於四象
也. 蓋四象卽乾·坤·旣濟·未濟之具體, 故以太陽三疊之卽
乾, 以太陰三疊之卽坤, 以少陰三疊之卽旣濟, 以少陽三疊之
卽未濟. 乾·坤·旣濟·未濟統乎『易』之道矣. 故「序卦」·「雜
卦」皆以是終始焉.

건(乾)괘·곤(坤)괘·기제(旣濟)괘·미제(未濟)괘를 호괘로 하는 16
개 괘는 바로 모든 괘가 호괘로 하여 이룬 것이다. 그러므로 16개
괘는 또 건괘·곤괘·기제괘·미제괘의 4개의 괘를 이룰 뿐이니, 마
치 16사(事)가 4상(象)에 귀결되는 것과 같다. 대개 4상은 바로 건
괘·곤괘·기제괘·미제괘가 체(體)를 갖춘 것이기 때문에 태양을
세 번 겹치면 곧 건괘이고, 태음을 세 번 겹치면 곧 곤괘이며, 소음
을 세 번 겹치면 곧 기제괘이고, 소양을 세 번 겹치면 곧 미제괘이
다. 건괘·곤괘·기제괘·미제괘는 『역』의 도(道)를 통괄한다. 그러
므로 「서괘전」과 「잡괘전」은 모두 이것으로 시작하고 끝맺었다.

호괘원도(互卦圓圖)

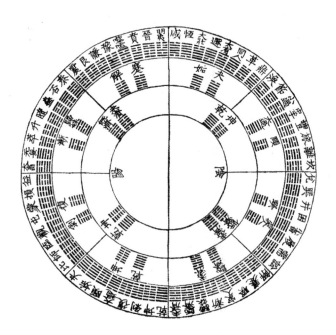

乾·坤, 體也; 旣濟·未濟, 用也. 故以乾·坤始之, 旣濟·未濟
終之. 中間則左方六卦, 剝·復·漸·歸妹·解·蹇爲陽卦, 皆
以震·艮爲主, 而統於乾·坤; 右方六卦, 姤·夬·大過·頤·
睽·家人爲陰卦, 皆以巽·兌爲主, 而統於旣濟·未濟. 故圖
之外一層者, 六十四卦也; 次內一層者, 所互之十六卦也; 又
次內一層者, 十六卦所互之四卦也.

건괘와 곤괘는 본체이고 기제괘와 미제괘는 작용이다. 그러므로 건
괘와 곤괘로 시작하고 기제괘와 미제괘로 끝맺었다. 중간에 왼쪽 6
개 괘인 박(剝)괘·복(復)괘·점(漸)괘·귀매(歸妹)괘·해(解)괘·건
(蹇)괘는 양괘가 되니 모두 진(震)과 간(艮)을 주인으로 삼아 건괘
와 곤괘에 통솔되며, 오른쪽 6개 괘인 구(姤)괘·쾌(夬)괘·대과(大
過)괘·이(頤)괘·규(睽)괘·가인(家人)괘는 음괘가 되니 모두 손
(巽)과 태(兌)를 주인으로 삼아 기제괘와 미제괘에 통솔된다. 그러
므로 도형의 바깥 한 층은 64개 괘이고, 다음 안의 한 층은 (64개
괘가) 호괘로 한 16개 괘이며, 그 다음 안의 한 층은 16개 괘가 호
괘로 한 4개 괘이다.

以其象限觀之, 則皆互乾·坤者居前, 互旣濟·未濟者居後; 以
其左右觀之, 則左方者皆統於乾·坤, 右方者皆統於旣濟·未
濟也.

그 상(象)에 제한하여 살펴보면 모두 건괘와 곤괘를 호괘로 한 것은
앞에 자리 잡고 기제괘와 미제괘를 호괘로 한 것은 뒤에 자리 잡으
며, 그 좌우로 살펴보면 왼쪽에 있는 것은 모두 건괘·곤괘에 통솔
되고 오른쪽에 있는 것은 모두 기제괘·미제괘에 통솔된다.

[잡괘명의 4-1]

爲互卦之主, 不在互卦之內者, 十四卦.

호괘의 주인이 되어 호괘 안에 있지 않는 것은 14개 괘이다.

乾互之得乾, 坤互之得坤, 旣濟互之得未濟, 未濟互之得旣
濟. 此四卦者不可變, 故不在互卦之內也. 陽卦六: 剝·復者,
震·艮交於坤者也; 漸·歸妹者, 震·艮交於巽·兌者也; 解·
蹇者, 震·艮交於坎者也. 故震·艮爲互陽卦之主. 陰卦六: 姤
·夬者, 巽·兌交於乾者也; 大過·頤者, 巽·兌交於震·艮者
也; 睽·家人者, 巽·兌交於離者也. 故巽·兌爲互陰卦之主.

건괘는 호괘를 만들면 건괘를 얻고, 곤괘는 호괘를 만들면 곤괘를
얻으며, 기제괘는 호괘를 만들면 기제괘를 얻고, 미제괘는 호괘를
만들면 미제괘를 얻는다. 이 4개의 괘는 변할수 없기 때문에 호괘
안에 있지 않는다. 양괘는 6개인데, 박(剝☷)괘와 복(復☷)괘는 진
(震☳)·간(艮☶)이 곤(坤☷)에 교류한 것이고, 점(漸☶)괘와 귀매
(歸妹☳)괘는 진·간이 손(巽☴)·태(兌☱)에 교류한 것이며, 해(解
☵)괘와 건(蹇☵)괘는 진·간이 감(坎☵)에 교류한 것이다. 그러므
로 진·간은 호괘 가운데 양괘의 주인이 된다. 음괘는 6개 인데, 구
(姤☴)괘와 쾌(夬☱)괘는 손(巽☴)·태(兌☱)가 건(乾☰)에 교류한
것이고, 대과(大過☴)괘와 이(頤☶)괘는 손·태가 진(震☳)·간(艮
☶)에 교류한 것이며, 규(睽☲)괘와 가인(家人☲)괘는 손·태가 리

(離☲)에 교류한 것이다. 그러므로 손·태는 호괘 가운데 음괘의 주인이 된다.

以三畫言之, 艮陽極而震陽生也; 以六畫言之, 剝陽極而復陽生也. 故剝·復象艮·震而爲陽卦之首. 以三畫言之, 兌陰極而巽陰生也; 以六畫言之, 夬陰極而姤陰生也, 故夬·姤象兌·巽而爲陰卦之首. 乾·坤之用在否·泰, 猶坎·離之用在旣濟·未旣也. 故否·泰·乾·坤之交, 而爲旣濟·未濟之宗. 此十卦亦不在互卦之內, 「雜卦」中遇此數卦, 皆從本卦取義, 不用互體. 其餘自比·師以後, 需·訟以前悉以互體相次.

3획괘로 말하면 간(艮☶)은 양이 지극하고 진(震☳)은 양이 생겨나며, 6획괘로 말하면 박(剝䷖)괘는 양이 지극하고 복(復䷗)괘는 양이 생겨난다. 그러므로 박괘·복괘는 간·진을 상징하여 양괘의 첫머리가 된다. 3획으로 말하면 태(兌☱)는 음이 지극하고 손(巽☴)은 음이 생겨나며, 6획괘로 말하면 쾌(夬䷪)괘는 음이 지극하고 구(姤䷫)괘는 음이 생겨난다. 그러므로 쾌괘·구괘는 태·손을 상징하여 음괘의 첫머리가 된다. 건·곤의 작용이 비(否䷋)괘·태(泰䷊)괘에 있는 것은 마치 감·리의 작용이 기제(旣濟䷾)괘·미제(未濟䷿)괘에 있는 것과 같다. 그러므로 비괘·태괘·건괘·곤괘가 교류하여 기제괘·미제괘의 근본이 된다. 이 10개의 괘도 또한 호괘 안에 있지 않으니, 「잡괘전」에서 이 여러 괘를 만나면 모두 본괘에서 의미를 취하지 호체를 사용하지 않는다. 그 나머지 비(比䷇)괘·사(師䷆)괘 이후 수(需䷄)괘·송(訟䷅)괘 이전은 모두 호체로 서로 이어간다.

[잡괘명의 4-2]

▌호괘의 음양 순서[互卦陰陽次第]

自乾·坤至晉·明夷二十八卦, 爲陽卦.〈皆互剝·復·漸·歸妹·解·蹇, 凡「上經」之卦十八, 而雜「下經」十卦於其中.〉

건(乾)괘·곤(坤)괘에서 진(晉)괘·명이(明夷)괘까지 28개 괘는 양괘가 된다.〈모두 박(剝)괘·복(復)괘·점(漸)괘·귀매(歸妹)괘·해(解)괘·건(蹇)괘의 호괘인데, 「상경」의 괘가 18개이고 「하경」의 10개 괘가 그 가운데 섞여 있다.〉

自井·困至需·訟二十八卦, 爲陰卦.〈皆互姤·夬·大過·頤·睽·家人, 凡「下經」之卦十八, 而雜「上經」十卦於其中.〉

정(井)괘·곤(困)괘에서 수(需)괘·송(訟)괘까지 28개 괘는 음괘가 된다.〈모두 구(姤)괘·쾌(夬)괘·대과(大過)괘·이(頤)괘·규(睽)괘·가인(家人)괘의 호괘인데, 「하경」의 괘가 18개이고 「상경」의 10개 괘가 그 가운데 섞여 있다.〉

自乾·坤至噬嗑·賁, 爲陽卦之正.〈首剝·復, 次漸·歸妹, 次解·蹇.〉

건(乾)괘·곤(坤)괘에서 서합(噬嗑)괘·비(賁)괘까지는 양괘의 바른
것이 된다.〈첫머리는 박(剝)괘·복(復)괘이고, 다음은 점(漸)괘·귀매(歸妹)
괘이며, 그 다음은 해(解)괘·건(蹇)괘이다.〉

自兌·巽至晉·明夷, 爲陽卦之變.〈首漸·歸妹. 次剝·復, 次解·蹇.〉

태(兌)괘·손(巽)괘에서 진(晉)괘·명이(明夷)괘까지는 양괘가 변한
것이 된다.〈첫머리는 점(漸)괘·귀매(歸妹)괘이고, 다음은 박(剝)괘·복(復)
괘이며, 그 다음은 해(解)괘·건(蹇)괘이다.〉

自井·困至否·泰, 爲陰卦之變.〈首睽·家人, 次姤·夬, 次大過·頤.〉

정(井)괘·곤(困)괘에서 비(否)괘·태(泰)괘까지는 음괘가 변한 것이
된다.〈첫머리는 규(睽)괘·가인(家人)괘이고, 다음은 구(姤)괘·쾌(夬)괘이
며, 그 다음은 대과(大過)괘·이(頤)괘이다.〉

自大壯·遯至需·訟, 爲陰卦之正.〈首姤·夬, 次大過·頤, 次睽·家人.〉

대장(大壯)괘·둔(遯)괘에서 수(需)괘·송(訟)괘까지는 음괘의 바른
것이 된다.〈첫머리는 구(姤)괘·쾌(夬)괘이고, 다음은 대과(大過)괘·이(頤)
괘이며, 그 다음은 규(睽)괘·가인(家人)괘이다.〉

[잡괘명의 4-3]

乾·坤首諸卦

건(乾)괘·곤(坤)괘는 모든 괘의 으뜸이다.

"乾剛坤柔."[53]

"건괘는 굳세고, 곤괘는 부드럽다."

『周易』首乾·坤, 故「序·雜卦」皆不易焉. 以互卦論之, 唯乾·坤·旣濟·未濟四卦互之, 仍得乾·坤·旣濟·未濟, 不與它卦相變. 然旣濟猶變爲未濟, 未濟猶變爲旣濟, 唯乾仍得乾, 坤仍得坤, 其體一定而不可變者也.

『주역』은 건괘·곤괘를 으뜸으로 하기 때문에 「서괘전」과 「잡괘전」도 모두 그것을 바꾸지 않는다. 호괘로 말하면 건괘·곤괘·기제괘·미제괘 4개의 괘만이 호괘로 해도 여전히 건괘·곤괘·기제괘·미제괘를 얻고, 다른 괘와 서로 변하지 않는다. 그러나 기제괘는 또한 변하여 미제괘가 되고, 미제괘는 또한 변하여 기제괘가 되니, 건괘와 곤괘만이 여전히 건괘와 곤괘를 얻어 그 체(體)가 한 번 정해지면 변하지 않는 것이다.

....

53) 본문 [잡괘] 1.

易之道主於變易・交易.「序卦」者, 時之相生, 變易者也;「雜
卦」者, 事之相對, 交易者也. 然非有不易者以爲之體, 則所
謂'乾坤毀無以見易'者, 而變化何自生哉? 是故先之以乾・坤,
然後別互卦之陰陽以次之.

역(易)의 도는 변역(變易)과 교역(交易)을 중심으로 한다.「서괘전」
은 때가 서로 생겨나게 하는 것이니 변역이고,「잡괘전」은 일이 서
로 짝하는 것이니 교역이다. 그러나 바뀌지 않는 것을 체(體)로 삼
지 않으면 이른바 (본문 [계사상 12-3]에서) '건(乾)・곤(坤)이 무너
지면 역(易)을 볼 수 없다'는 뜻이 되니, 변화가 어디에서 생겨나올
수 있겠는가? 이 때문에 건괘・곤괘를 먼저한 뒤에 호괘의 음양을
구별하여 그 다음으로 하였다.

陽正卦首剝·復.

양으로서 바른 괘는 박(剝)괘·복(復)괘를 으뜸으로 한다.

"比樂師憂."54) "臨·觀之義, 或與或求."55) "屯見而不失其居,
蒙雜而著."56) "震, 起也; 艮, 止也; 損·益, 盛衰之始也."57)

"비(比)괘는 즐겁고 사(師)괘는 근심한다." "임(臨)괘와 관(觀)괘의
의미는 어떤 경우에는 주고 어떤 경우에는 구하는 것이다." "준(屯)
괘는 나타나지만 그 거처를 잃지 않고, 몽(蒙)괘는 섞이지만 드러난
다." "진(震)괘는 일어남이고, 간(艮)괘는 멈춤이다. 손괘와 익괘는
성대함과 쇠퇴함의 시작이다."

此八卦皆互體爲剝·復, 而雜震·艮二卦於其中, 蓋震·艮陽
卦之主, 而剝·復之具體也. 自比·師·臨·觀·屯·蒙, 皆「上
經」之卦, 而損·益獨爲「下經」之卦. 震·艮亦「下經」之卦也,
故次於損·益之前.〈「上經」之卦六, 比·師一陽, 臨·觀·屯·蒙二陽.〉

---

54) 본문 [잡괘] 1.
55) 본문 [잡괘] 2.
56) 본문 [잡괘] 3.
57) 본문 [잡괘] 4.

이 8개 괘는 모두 호체가 박(剝)괘·복(復)괘가 되고 진(震)괘·간(艮)괘가 그 가운데 섞여 있는데, 진(震)괘·간(艮)괘는 양괘의 주인이고, 박(剝)괘·복(復)괘가 체(體)를 갖추고 있기 때문이다. 비(比)괘·사(師)괘·임(臨)괘·관(觀)괘·준(屯)괘·몽(蒙)괘는 모두 「상경」의 괘이고, 손(損)괘·익(益)괘만이 「하경」의 괘이다. 진(震)괘·간(艮)괘도 또한 「하경」의 괘이기 때문에 손(損)괘·익(益)괘 이전에 차례 지었다.〈「상경」의 6개 괘에서, 비(比)괘·사(師)괘는 양이 1개이고, 임(臨)괘·관(觀)괘·준(屯)괘·몽(蒙)괘는 양이 2개이다.〉

次漸·歸妹.

다음은 점(漸)괘·귀매(歸妹)괘이다.

"大畜, 時也：無妄, 災也."58) "萃聚而升不來也."59)

"대축(大畜)괘는 때이고, 무망(無妄)괘는 재앙이다." "췌(萃)괘는 모임이고 승(升)괘는 오지 않음이다."

此四卦, 皆互體爲漸·歸妹. 陽卦以「上經」居前,「下經」居後, 故先大畜·無妄, 後萃·升.

이 4개의 괘는 모두 호체가 점(漸)괘·귀매(歸妹)괘이다. 양괘는 「상경」에서는 앞에 자리 잡고 「하경」에서는 뒤에 자리 잡기 때문에 대축(大畜)괘·무망(無妄)괘를 먼저하고 췌(萃)괘·승(升)괘를 나중에 하였다.

---

58) 본문 [잡괘] 5.
59) 본문 [잡괘] 6.

次解·蹇
다음은 해(解)괘·건(蹇)괘이다.

"謙輕而豫怠也."⁶⁰⁾ "噬嗑, 食也; 賁, 無色也."⁶¹⁾

"겸(謙)괘는 자기를 가벼이 여김이고 예(豫)괘는 태만함이다." "서합(噬嗑)괘는 먹음이고, 비(賁)괘는 색깔이 없음이다."

此四卦, 皆互體爲解·蹇.〈謙·豫一陽, 噬嗑·賁三陽.〉

이 4개의 괘는 모두 호체가 해(解)괘·건(蹇)괘이다.〈겸(謙)괘·예(豫)괘는 양이 1개이고, 서합(噬嗑)괘·비(賁)괘는 양이 3개이다.〉

以上爲陽卦之正.

위는 양괘의 바른 것이 된다.

----

60) 본문 [잡괘] 6.
61) 본문 [잡괘] 7.

陽變卦首漸·歸妹

양이 변한 괘는 점(漸)괘·귀매(歸妹)괘를 으뜸으로 한다.

"兌見而巽伏也."[62]

"태(兌)괘는 나타남이고 손(巽)괘는 엎드림이다."

震·艮交於兌·巽, 而成漸·歸妹. 下文將敍漸·歸妹, 故以兌·巽先之.

진(晉)괘·간(艮)괘가 태(兌)괘·손(巽)괘에 교류하여 점(漸)괘·귀매(歸妹)괘를 이룬다. 아래 글에서 점(漸)괘·귀매(歸妹)괘를 서술할 것이기 때문에 태(兌)괘·손(巽)괘를 먼저 했다.

"隨, 無故也; 蠱, 則飭也."[63]

"수(隨)괘는 연고가 없음이고, 고(蠱)괘는 삼감이다."

....

62) 본문 [잡괘] 8.
63) 본문 [잡괘] 9.

此兩卦, 互體爲漸·歸妹, 上首剝·復者, 天行也, 此首漸·歸妹者, 人事也.

이 2개의 괘는 호체가 점(漸)괘·귀매(歸妹)괘이다. 위에서 박(剝)괘·복(復)괘를 으뜸으로 한 것은 하늘의 운행이고, 여기에서 점(漸)괘·귀매(歸妹)괘를 으뜸으로 한 것은 사람의 일이다.

次剝·復
다음은 박(剝)괘·복(復)괘이다.

"剝, 爛也; 復, 反也."[64]

"박(剝)괘는 문드러짐이고, 복(復)괘는 돌아옴이다."

此兩卦, 不用互體, 但取剝·復之義. 此言剝以歸於復. 篇終
言姤以終於夬, 皆扶陽之意.

이 2개의 괘는 호체를 사용하지 않고 단지 박(剝 : 벗겨냄)·복(復 :
회복함)의 의미를 취한다. 이는 벗겨냄이 그것으로 회복함에 돌아
감을 말한다. 책 끝에 만남은 그것으로 과감하게 결단하는 데 끝남
을 말하니, 모두 양을 떠받치는 뜻이다.

----

64) 본문 [잡괘] 10.

次解·蹇

다음은 해(解)괘·건(蹇)괘이다.

"晉, 晝也; 明夷, 誅也."[65]

"진(晉)괘는 낮이고, 명이(明夷)괘는 손상함이다."

此兩卦, 互體爲解·蹇.

이 2개의 괘는 호체가 해(解)괘·건(蹇)괘이다.

以上爲陽卦之變.

위는 양괘의 변하는 것이 된다.

除篇終八卦自立義例外, 餘皆入陰陽正卦, 其變者, 唯各擧兩
卦以見義而已.

---

65) 본문 [잡괘] 11.

책 끝에 8괘가 스스로 정립하는 의미와 형식을 제외하고 나머지는 모두 음양의 바른 괘에 들어가니, 그 변한 것은 오직 각각 2개의 괘를 들어 의미를 나타낼 뿐이다.

自乾·坤至此, 爲陽卦者二十八.

건(乾)괘·곤(坤)괘에서 여기까지 양괘가 된 것이 28개이다.

陰變卦首睽·家人

음이 변한 괘는 규(睽)괘·가인(家人)괘를 으뜸으로 한다.

"井通而困相遇也."[66]

"정(井)괘는 통함이고, 곤(困)괘는 서로 만남이다."

此兩卦, 互體爲睽·家人. 陽卦之變, 首於漸·歸妹者, 震·艮交於巽·兌, 陽中之陰也. 陰卦之變, 始於睽·家人者, 巽·兌交於離, 陰中之陰也. 陽主正, 自天道而人事; 陰主變, 自人事而天道.

이 2개의 괘는 호체가 규(睽)괘·가인(家人)괘이다. 양괘의 변함이 점(漸)괘·귀매(歸妹)괘에서 시작하는 것은 진(晉)괘·간(艮)괘가 태(兌)괘·손(巽)괘에 교류하는 일이니, 양 가운데 음이다. 음괘가 변하는 것이 규(睽)괘·가인(家人)괘에서 시작하는 것은 손(巽)괘·태(兌)괘가 리(離)괘에 교류하는 일이니, 음 가운데 음이다. 양은 바른 것을 위주로 하니 하늘의 도에서 사람의 일이 되고, 음은 변하는 것을 위주로 하니 사람의 일에서 하늘의 도가 된다.

---

66) 본문 [잡괘] 12.

次姤·夬

다음은 구(姤)괘·쾌(夬)괘이다.

"咸, 速也; 恒, 久也."[67]

"함(咸)괘는 빠름이고, 항(恒)괘는 오래됨이다."

此兩卦, 互體爲姤·夬.

이 2개의 괘는 호체가 구(姤)괘·쾌(夬)괘이다.

---

67) 본문 [잡괘] 13.

次大過·頤

다음은 대과(大過)괘·이(頤)괘이다.

"渙, 離也; 節, 止也."[68]

"환(渙)괘는 떠남이고, 절(節)괘는 그침이다."

此兩卦, 互體爲頤.

이 2개의 괘는 호체가 이(頤)괘가 된다.

六十四卦中, 有兩卦只互得一卦者, 如剝·復只互得坤, 姤·夬只互得乾, 渙·節只互得頤, 豐·旅只互得大過.

64괘 가운데 2개의 괘가 다만 호괘로 1개의 괘를 얻는 것이 있으니, 예컨대 박(剝)괘와 복(復)괘는 호괘로 곤(坤)괘만을 얻고, 구(姤)괘와 쾌(夬)괘는 호괘로 건(乾)괘만을 얻으며, 환(渙)괘와 절(節)괘는 호괘로 이(頤)괘만을 얻고, 풍(豐)괘와 여(旅)괘는 호괘로 대과(大過)괘만을 얻는다.

---

68) 본문 [잡괘] 14.

[잡괘명의 4-13]

旣濟 · 未濟統陰卦
기제(旣濟)괘 · 미제(未濟)괘는 음괘를 통괄한다.

"解, 緩也; 蹇, 難也. 睽, 外也; 家人, 內也. 否 · 泰, 反其類也
."[69]

"해(解)괘는 늦춰짐이고, 건(蹇)괘는 어려움이다. 규(睽)괘는 밖으
로 함이고, 가인(家人)괘는 안으로 함이다. 비(否)괘와 태(泰)괘는
그 부류를 반대로 한다."

解 · 蹇 · 睽 · 家人, 皆互體爲旣濟 · 未濟. 故次於陰變卦之後.
否 · 泰不在互卦之內, 而爲旣濟 · 未濟之根者也, 故次於旣濟
· 未濟之後. 蓋凡陽卦皆統於乾 · 坤, 而尤以正卦爲主, 故比 ·
師之前, 首以乾 · 坤也. 凡陰卦皆統於旣濟 · 未濟, 而尤以變
卦爲主, 故渙 · 節之後, 繫以解 · 蹇 · 睽 · 家人 · 否 · 泰也.

해(解)괘 · 건(蹇)괘 · 규(睽)괘 · 가인(家人)괘는 모두 호체가 기제(旣
濟)괘 · 미제(未濟)괘가 된다. 그러므로 음이 변하는 괘의 뒤에 차례
지었다. 비(否)괘 · 태(泰)괘는 호괘 안에 있지 않지만 기제괘 · 미제

---

69) 본문 [잡괘] 14.

괘의 뿌리가 되는 것이기 때문에 기제괘·미제괘의 뒤에 차례 지었다. 대개 양괘는 건괘·곤괘에 통괄되는데 특히 바른 괘가 위주가 되기 때문에 비(比)괘·사(師)괘 이전에 건괘·곤괘를 먼저 한다. 음괘는 모두 기제괘·미제괘에 통괄되는데 특히 변하는 괘가 위주가 되기 때문에 환(渙)괘·절(節)괘 뒤에 해(解)괘·건(蹇)괘·규(睽)괘·가인(家人)괘·비(否)괘·태(泰)괘를 연이어 두었다.

以上爲陰卦之變.

위는 음괘의 변하는 것이 된다.

陰正卦首姤·夬
음으로서 바른 괘는 구(姤)괘·쾌(夬)괘를 으뜸으로 한다.

"大壯則止, 遯則遲也."70) "大有, 衆也; 同人, 親也. 革, 去故
也; 鼎, 取新也."71)

"대장(大壯)괘는 멈춤이고, 돈(遯)괘는 물러감이다." "대유(大有)괘
는 많음이고, 동인(同人)괘는 친함이다. 혁(革)괘는 옛 것을 버림이
고, 정(鼎)괘는 새 것을 취함이다."

此六卦, 皆互體爲姤·夬. 陰之大壯·遯, 如陽之臨·觀; 陰之
大有·同人, 如陽之比·師. 前陽卦中先比·師, 次臨·觀, 此
則先大壯·遯, 次大有·同人者, 陰卦先「下經」, 後「上經」也.
陰之革·鼎, 如陽之屯·蒙.

이 6개 괘는 모두 호체가 구(姤)괘·쾌(夬)괘이다. 음의 대장(大壯)
괘·둔(遯)괘는 마치 양의 임(臨)괘·관(觀)괘와 같고, 음의 대유(大
有)괘·동인(同人)괘는 마치 양의 비(比)괘·사(師)괘와 같다. 앞에

70) 본문 [잡괘] 15.
71) 본문 [잡괘] 16.

서 양괘 가운데 비(比)괘·사(師)괘를 먼저 하고 임(臨)괘·관(觀)괘를 다음으로 하였는데, 여기서는 대장(大壯)괘·둔(遯)괘를 먼저 하고 대유(大有)괘·동인(同人)괘를 다음으로 한 것은, 음괘가 「하경」에서는 먼저 나오고 「상경」에서는 뒤에 나오기 때문이다. 음의 혁(革)괘·정(鼎)괘는 마치 양의 준(屯)괘·몽(蒙)괘와 같다.

[잡괘명의 4-15]

次大過·頤
다음은 대과(大過)괘·이(頤)괘이다.

"小過, 過也; 中孚, 信也. 豐, 多故; 親寡, 旅也."[72] "離上而坎下也."[73]

"소과(小過)괘는 지나침이고, 중부(中孚)괘는 믿음이다. 풍(豐)괘는 연고가 많음이고, 친한 사람이 적음은 여(旅)괘이다." "리(離)괘는 올라가고 감(坎)괘는 내려온다."

此六卦, 皆互體爲大過·頤. 小過·中孚·豐·旅在「下經」居先, 離·坎在「上經」居後.

이 6개 괘는 모두 호체가 대과(大過)괘·이(頤)괘가 된다. 소과(小過)괘·중부(中孚)괘·풍(豐)괘·여(旅)괘는 「하경」에서 앞에 자리 잡고, 리(離)괘·감(坎)괘는 「상경」에서 뒤에 자리 잡는다.

---

72) 본문 [잡괘] 16.
73) 본문 [잡괘] 17.

次睽 · 家人

다음은 규(睽)괘 · 가인(家人)괘이다.

"小蓄, 寡也; 履, 不處也."[74] "需, 不進也; 訟, 不親也."[75]

"소축(小畜)괘는 적음이고, 이(履)괘는 한 곳에 머물지 않음이다."
"수(需)괘는 나아가지 않음이고, 송(訟)괘는 친하지 않음이다."

此四卦皆互體爲睽 · 家人.〈小畜 · 履一陰, 需 · 訟二陰.〉

이 6개 괘는 모두 호체가 규(睽)괘 · 가인(家人)괘가 된다.〈소축(小畜)괘 · 이(履)괘는 음이 1개이고, 수(需)괘 · 송(訟)괘는 음이 2개이다.〉

以上爲陰卦之正.

위는 음괘의 바른 것이 된다.

自井 · 困至此爲陰卦者亦二十八.

정(井)괘 · 곤(困)괘에서 여기까지 음괘가 되는 것도 또한 28개이다.

------

74) 본문 [잡괘] 18.
75) 본문 [잡괘] 19.

순환호괘도(循環互卦圖)

"大過, 顚也; 姤, 遇也, 柔遇剛也. 漸, 女歸待男行也. 頤, 養正也; 旣濟, 定也. 歸妹, 女之終也; 未濟, 男之窮也. 夬, 決也. 剛決柔也, 君子道長, 小人道憂也."[76]

"대과(大過)괘는 넘어짐이고, 구(姤)괘는 만남이니 부드러움이 굳셈을 만남이다. 점(漸)괘는 여자가 시집감에 남자를 기다려 가는 것이다. 이(頤)괘는 바름을 기름이고, 기제(旣濟)괘는 정해짐이다. 귀매(歸妹)괘는 여성이 끝으로 귀착함이고, 미제(未濟)괘는 남성이 곤궁함이다. 쾌(夬)괘는 터짐이다. 굳셈이 부드러움을 트게 하니, 군자의 도(道)는 자라나고 소인의 도는 근심스럽다."

以上五十六卦, 皆以兩相對, 如「序卦」之例. 獨此八卦錯綜而不反對者, 以見卦之有互, 不獨中四爻可互, 六爻循環皆可互也. 卦卦皆然, 獨擧大過一卦者, 中四爻以陽居之, 唯大過一卦, 且自初爻起, 而正卦左旋, 互卦右轉, 恰始於姤, 終於夬而乾, 得易道用陰而尊陽之意也.

위의 56개 괘는 모두 2개씩 서로 짝하니 마치 「서괘전」의 형식과 같다. 유독 이 8개의 괘가 뒤섞여 반대되지 않는 것은 괘에서 호괘가 되는 것이 다만 가운데 4개 효만 호괘가 될 수 있는 것이 아니라, 6개 효가 순환하면서 모두 호괘가 될 수 있음을 나타낸다. 괘마다 모두 그러하지만 대과(大過☱)괘만을 제시한 것은 가운데 4개의 효가 양으로 자리 잡은 것이 대과괘 하나일 뿐이고, 또 초효에서 시

---

76) 본문 [잡괘] 20.

작하여 정괘(正卦)는 왼쪽으로 돌고 호괘는 오른쪽으로 도는 것이, 구(姤☰)괘에서 시작하여 쾌(夬☰)괘에서 끝마쳐 건(乾☰)괘가 되는 것과 흡사하니, 역(易)의 도인 음을 사용하고 양을 높이는 뜻을 얻었기 때문이다.

故案圖觀之, 自初至四爲姤, 自上至三爲漸, 自五至二爲頤, 自四至初爲歸妹, 自三至上爲夬, 自二至五爲乾. 然夫子「傳」文無乾者, 乾在篇首, 夬盡則爲純乾, 首尾相生之義也.

그러므로 도형에 따라 살펴보면, 초효에서 제4효까지는 구(姤☰)괘가 되고, 상효에서부터 제3효까지는 점(漸☰)괘가 되며, 제5효에서 제2효까지는 이(頤☰)괘가 되고, 제4효에서 초효까지는 귀매(歸妹☰)괘가 되며, 제3효에서 상효까지는 쾌(夬☰)괘가 되고 제2효에서 제5효까지는 건(乾☰)괘가 된다. 그러나 공자의 「잡괘전」 글에서 건괘가 없는 것은 건괘가 책 첫머리에 있고, 쾌괘가 다하면 순수한 건괘가 되어 처음과 끝이 서로 생겨나는 의미이기 때문이다.

旣濟·未濟不在互卦之內, 故以義附於此. 自陰陽相遇之後, 如漸之得禮, 如頤之養正, 則爲旣濟而定矣. 如歸妹之越禮失正, 則爲未濟而窮矣. 故必決陰邪以伸陽道, 然後'君子道長, 小人道憂也.' 旣濟·未濟統六十四卦之義, 故「雜卦」以是終篇, 與「序卦」同.

기제괘와 미제괘는 호괘 안에 있지 않기 때문에 의미로 여기에 붙인다. 음양이 서로 만난 뒤부터 점차적으로 예(禮)를 얻고 배양함에 바름을 기르면 성취되어 정해질 것이다.77) 만약 여자가 시집감에 예(禮)를 벗어나 올바름을 잃는다면 아직 성취되지 못해 곤궁해질 것이다.78) 그러므로 반드시 음의 사악함을 트게 하여 양의 도를 펼친 뒤에 '군자의 도(道)는 자라나고 소인의 도는 근심스럽게 될 것이다.'79) 미제괘·기제괘는 64괘의 의미를 통괄하기 때문에 「잡괘전」에서 이것으로 책을 끝냈으니, 「서괘전」과 마찬가지이다.

---

77) 점차적으로 예(禮)를 얻고 배양함에 바름을 기르면 성취되어 정해질 것이다 : 본문 [잡괘 20]에서 "점(漸)괘는 여자가 시집감에 남자를 기다려 가는 것이다. 이(頤)괘는 바름을 기름이고, 기제(旣濟)괘는 정해짐이다. [漸, 女歸待男行也. 頤, 養正也; 旣濟, 定也.]"라고 하였다.

78) 여자가 시집감에 예(禮)를 벗어나서 올바름을 잃는다면 아직 성취되지 못해 곤궁해질 것이다 : 본문 [잡괘 20]에서 "귀매(歸妹)괘는 여성이 끝으로 귀착하는 것이고, 미제(未濟)괘는 남성이 곤궁함이다.[歸妹, 女之終也. 未濟, 男之窮也.]"라고 하였다.

79) 음의 사악함을 트게 하여 … 소인의 도는 근심스럽게 될 것이다.' : 본문 [잡괘 20]에서 "쾌(夬)괘는 터짐이다. 굳센 것이 유순한 것을 트게 하니, 군자의 도(道)는 자라나고 소인의 도는 근심스럽다.[夬, 決也. 剛決柔也, 君子道長, 小人道憂也.]"라고 하였다.

| 역주자 소개 |

신창호申昌鎬

현 고려대학교 교수
고려대학교 박사(Ph. D, 동양철학/교육철학 전공)
권우(卷宇) 홍찬유(洪贊裕), 일평(一平) 조남권(趙南勸), 중관(中觀) 최권흥(崔權興), 위재(威齋) 김중렬(金重烈), 수강(修岡) 유명종(劉明鍾) 선생 등으로부터 한학 및 동양학 사사
한국교육철학학회 회장(역임)
「중용(中庸) 교육사상의 현대적 조명」(박사논문) 외 『관자』, 「주역 계사전」, 『유교의 교육학 체계』, 한글사서(『논어』, 『맹자』, 『대학』, 『중용』) 등 100여 편의 논저가 있음

김학목金學睦

현 고려대학교 연구교수
건국대학교 박사(Ph. D, 한국철학 전공)
해송학당 원장(사주명리 · 동양학 강의)
「박세당의 『신주도덕경』 연구」(박사논문)를 비롯하여 『왕필의 노자주』, 『하상공의 노자』, 『한국주역대전』 등 50여 편의 논저가 있음

심의용沈義用

현 숭실대학교 H.K 연구교수
숭실대학교 박사(Ph. D, 주역철학 전공)
「정이천의 『역전』 연구」(박사논문)를 비롯하여 『주역』, 『성리대전』, 『인역』, 『주역과 운명』, 『세상과 소통하는 힘』 『시적 상상력으로 주역을 읽다』 등 30여 편의 논저가 있음.

윤원현尹元鉉

전 고려대학교 연구교수
臺灣 文化大學校 박사(Ph. D, 주자철학 전공)
한중철학회 회장(역임)
「從朱子思想中之天人架構闡論其義理脈絡」(박사논문)를 비롯하여 『성리대전』, 『태극해의』, 『역학계몽』, 『율려신서』 등 10여 편의 논저가 있음.

한국연구재단
학술명저번역총서
[동양편] 620

주역절중周易折中 11

초판 인쇄   2018년 11월 1일
초판 발행   2018년 11월 15일

편   찬 | 이광지
책임역주 | 신창호
공동역주 | 김학목·심의용·윤원현
펴 낸 이 | 하운근
펴 낸 곳 | 學古房

주   소 | 경기도 고양시 덕양구 통일로 140 삼송테크노밸리 A동 B224
전   화 | (02)353-9908 편집부(02)356-9903
팩   스 | (02)6959-8234
홈페이지 | www.hakgobang.co.kr
전자우편 | hakgobang@naver.com, hakgobang@chol.com
등록번호 | 제311-1994-000001호

ISBN   978-89-6071-801-2 94140
          978-89-6071-287-4 (세트)

값 : 28,000원

이 책은 2015년도 정부재원(교육부)으로 한국연구재단의 지원을 받아 연구되었음
(NRF-2015S1A5A7018113).
This work was supported by National Research Foundation of Korea Grant funded by
the Korean Government(NRF-2015S1A5A7018113).

이 도서의 국립중앙도서관 출판예정도서목록(CIP)은 서지정보유통지원시스템 홈페이지
(http://seoji.nl.go.kr)와 국가자료종합목록시스템(http://www.nl.go.kr/kolisnet)에서 이용
하실 수 있습니다. (CIP제어번호 : CIP2018032012)